U0004641

A YEAR OF US

A COUPLE'S JOURNAL

我們的365天

學會每天問一題，
成為聊不停的親密關係

艾莉西亞‧姆諾茲(ALICIA MUÑOZ) | 著

林宜汝 | 譯

因誤會而結合，也因誤會而分開

── 臨床心理師　洪仲清

在面對關係困境時，「連結」重於「解決」。

大部分伴侶之間的「問題」，難以解決，那牽涉到個人認知差距、喜好不同、習慣相異，因此也沒所謂「解決」。需要深入理解，藉著包容、接納，在每次靠近感到挫折之後，依然能注意到對方的善意。

別以為每天見面，就足夠認識對方。常常在雙方不知不覺形同陌路之後，才驚覺不知道從什麼時候開始，對彼此已經不再熟悉。

伴侶關係一開始能如膠似漆，常仰賴激情點火。然而，在激情消退之前，如果兩人沒有培養出真摯的友誼，親密難以天長地久。

很多時候，我們因誤會而結合，也因誤會而分開。

我們滿心以為早就瞭解了對方，或許那還只是在表面徘徊，因為我們的童年經驗，還有過去傷痛，以及那些遮蔽著目光的投射，像是一堵阻隔著彼此的透明牆。即便是親密伴侶，很多經驗雖難以共享，這是許多朋友跟我分享的故事，因為對方對於過往的難堪心碎絕口不提。

然而，那些傷疤下的疼痛被掩埋，不一定全然是當事人不想述說，或許是不知從何說起，又或者是不知如何用文字形容。這時，我們除了傾聽，也要透過適切的問題，才可能一步一步走進或許連對方自己都難以觸及的心。

不是所有的交流，都得要帶著十足社會化的目的性。跟某些人聊天，常像碰到鐵板，「講這個有什麼用？」「快樂能當飯吃嗎？」「這樣賺得到錢再說啦！」……話不投機半句多！

「如果複製技術足夠進步，而科學家能使一種絕種動物復活，你想讓哪種動物復活？為什麼？」

像上述這個提問，除了帶著知識性與思辨性，還帶著趣味性。但是對於忙碌於生活的伴侶來說，恐怕會默默地以實用與否作為衡量互動的必要性，忘卻了關係的基礎在於兩個人之間的溫

度。

多一種方式說，願意聽對方說話，不評價、不批判地好奇對方的想法，本身就是一個目的，對維繫關係相當重要的目的——能認知到這樣的重要目的，並非理所當然，需要透過互動，一次又一次感受彼此的關心與在意。更別說，學著傾聽、試著表達，以尊重的態度求同存異，那本來就是一條走起來氣喘吁吁的曲折上坡路。

這條路不見得一定得要指向哪裡，相伴走在這條路上本身就是我們的目的，那就是我們的日常風景，跟柴米油鹽混在一起的、極容易被忽略的、兩人約定好要共度一生的誓言。

「關於你的付出，有沒有什麼事是被我視為理所當然的？如果有的話，我怎麼做能更讓你感受到我的重視和感謝？」

不小心靠得太近，難免磕磕碰碰不順意。這時可以透過感激，讓我們看到對方不間斷的努力。

衷心祝福您，在不同的提問裡，藉著跟對方對話，一次又一次地跟對方相遇！

【推薦文】

靠近彼此．練習發問

愛上一個人需要衝動，持續地愛著一個人，則需要練習。這是一本讓親密關係持續保溫的作業簿，跟著裡頭的練習題，與另一半分享更多、探索更多、瞭解更多，並且更加靠近彼此。──陳志恆　諮商心理師／作家

本書為每對情侶們的「愛火」，備好了一年份的柴──一天一題，一起好好經營。──蘇益賢　臨床心理師

好的提問本身就能帶出重要的解答，這本書透過許多珍貴的提問，幫助你更靠近自己。──胡展誥　諮商心理師

致麥可

你是我在探索過去、現在與未來的問題時，
永遠願意一起冒險的最佳伴侶。

如何使用本書

我邀請你與伴侶在未來的365天內，天天懷著好奇心，一起探索並分享這本日誌裡的每個問題，瞭解彼此的回憶、希望、思考、夢想、觀點、喜好、幻想與特質，在建立更深刻的關係之餘；也能發現讓你們從兩個獨立個體，合而為一成為伴侶的原因。

如果你們已經相當瞭解彼此，這本日誌可以提供你們每天交流的話題，進而使關係更密切；如果才剛認識，這些問題可以幫助你們展開熟悉彼此的旅程。無論關係進展到哪個階段，持續運用這本日誌可以幫助你們建立起「愛的習慣」（Love Ritual）。在關係中經營這種健康的習慣，可以代替其他沒有幫助、只是為了自我保護又或是無益彼此互相依靠的習慣，使你們成為快樂的伴侶，讓關係能夠長久

經營下去。

每個問題都能刺激你們反思、激發想像力，並喚醒你們的好奇心與玩心。問題下方的空白可用來寫下簡答或是筆記。運用這本日誌的方式五花八門，例如，用不同顏色的筆來區分彼此的回答；或者每天輪流當提問者與答題者；忙碌時，也可以各自寫下答案，之後有空再回頭分享。無論用哪種形式進行，這本日誌的目的是讓你們在放下日誌後能更深入地與彼此對話、互動（這也是為什麼我沒留下太多空間讓你們寫答案）。這本日誌只不過是一項工具，目的在於引導、促進並鼓勵你們和對方調情，一起大笑、深化關係，並尊重彼此。

一年開始能幫助你與伴侶設下目標；一年結束則讓你們藉機整理從問題中瞭解到的事情，並慶祝彼此在完成《我們的365天年》的過程中所收穫的成長。

以下365個問題大致上可分成以下四個類別：

 未來
目標／夢想

 休閒娛樂／性愛

 過往經驗／現在經歷

 哲學／心理思考

每個問題都用不同的顏色標示，也用四個不同的圖示分類，讓你輕鬆掌握當天要探討的主題，也方便你們決定當下是否有意願深入探索這個話題，或者要跳過，先回答其他類別的問題，之後再回頭做這些先前略過的題目。

奧地利裔的哲學家馬丁・布伯（Martin Buber）曾寫道：「儘管難以理解，這個世界仍然值得我們去擁抱，就從接納並擁抱這世上的人們開始吧。」瞭解彼此讓我們能夠以輕鬆的方式持續學著接納、擁抱彼此，培養深刻的關係。

為關係建立新年新希望

也許你和伴侶希望檢視一下彼此的關係發展到什麼階段。
這本日誌可以提供什麼幫助？你認為這本日誌在未來的一
年中，可以如何加強你們的關係呢？

也許你們有特定的目標，像是希望更加瞭解彼此的欲望、
試著更活在當下，或是不帶偏見地傾聽彼此心聲，又或者
你們只是想增添情趣。無論如何，我鼓勵你們瞭解彼此的
期待，並決定你們希望怎樣使用這本日誌。你們可能得先
達成共識完成每日問題的時間限制，以及如何確保彼此專
心聆聽對方的答案達到共識（像是在作答時把手機靜音，
以免受到干擾）。

花時間思考上述問題，並下定決心好好落實，能幫助你們
實現為關係設下的目標。在接下來的一年裡，你們可以重
複翻閱這頁「年初探索」的內容，幫助你們評估從開始使
用這本日誌至今的進展，並珍惜你們在完成這本日誌的過
程中伴侶關係的成長。

以下有五個問題可以幫助你們釐清彼此對這段關係的期待：

1. 在我們每天運用這些問題交流時，什麼事最不讓人費心？

2. 什麼事可能帶來阻礙？

3. 你希望藉由和我一起完成《我們的365天》得到什麼？

4. 我可以怎麼做，好讓我們享受完成日誌的過程？

5. 我怎麼做讓你感到我認真傾聽你的回答？

就我提供伴侶諮商的經驗來看，伴侶們經常在諮商一開始時就有明確目標。儘管回答上述這些發人深省的問題，與實際諮商並不相同，但仍然有助於你們對齊彼此的目標。時刻提醒自己為什麼要寫這本日誌。像是，你們是為了讓自己成為更好的另一半嗎？為了瞭解彼此？為了使關係更深刻？在開始分享問題的答案前，確保擁有一致的目標，可以幫助你們交出衷心的答案。光是這麼做，就能幫助你的伴侶更清楚地瞭解你的心聲。

在回答問題的過程中，請特別留意用字。例如：當問題說「你是否覺得我對你的某些付出視為理所當然？」跟「我是否虧待你？」意思並不相同。在彼此分享與聆聽的過程中，記得在腦海中想著伴侶最好的一面，並留意自己的情緒反應。盡可能多問一些可以更深入促進討論的問題，讓你們踏上彼此都更能為這段關係負責的全新旅程。

無論你們開始撰寫這本日誌時關係發展到哪個階段，我保證回答完第365個問題後，你們肯定對彼此，乃至自己真實的樣貌有更詳盡、明確且親密的認識。

1 日期：＿＿＿＿＿＿

你理想中，共度週末的完美行程是什麼呢？為什麼？

_____

_____

_____

_____

_____

_____

_____

_____

_____

2 日期：＿＿＿＿＿＿

睡夢中，你最希望聽到我呢喃什麼關於你的夢話？

_____

_____

_____

_____

_____

_____

_____

3 日期：＿＿＿＿＿＿

小時候，最能讓你感同身受的經典故事或電影角色是什麼？他們如何反映你當時的內心掙扎？

_____

_____

_____

_____

_____

_____

_____

_____

4 日期：＿＿＿＿＿＿

如果可以徹底抹除生命中一件令你後悔的事情，你會選擇什麼？

_____

_____

_____

_____

_____

_____

_____

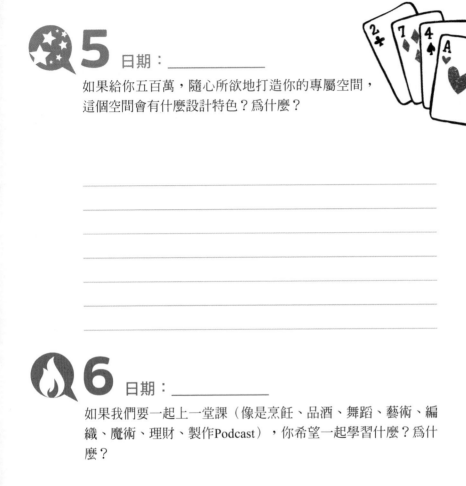

5 日期：＿＿＿＿＿＿＿＿

如果給你五百萬，隨心所欲地打造你的專屬空間，
這個空間會有什麼設計特色？為什麼？

＿＿＿＿＿＿＿＿＿＿＿＿＿＿＿＿＿＿＿＿＿＿＿＿＿＿

＿＿＿＿＿＿＿＿＿＿＿＿＿＿＿＿＿＿＿＿＿＿＿＿＿＿

＿＿＿＿＿＿＿＿＿＿＿＿＿＿＿＿＿＿＿＿＿＿＿＿＿＿

＿＿＿＿＿＿＿＿＿＿＿＿＿＿＿＿＿＿＿＿＿＿＿＿＿＿

＿＿＿＿＿＿＿＿＿＿＿＿＿＿＿＿＿＿＿＿＿＿＿＿＿＿

＿＿＿＿＿＿＿＿＿＿＿＿＿＿＿＿＿＿＿＿＿＿＿＿＿＿

6 日期：＿＿＿＿＿＿＿＿

如果我們要一起上一堂課（像是烹飪、品酒、舞蹈、藝術、編
織、魔術、理財、製作Podcast），你希望一起學習什麼？為什
麼？

＿＿＿＿＿＿＿＿＿＿＿＿＿＿＿＿＿＿＿＿＿＿＿＿＿＿

＿＿＿＿＿＿＿＿＿＿＿＿＿＿＿＿＿＿＿＿＿＿＿＿＿＿

＿＿＿＿＿＿＿＿＿＿＿＿＿＿＿＿＿＿＿＿＿＿＿＿＿＿

＿＿＿＿＿＿＿＿＿＿＿＿＿＿＿＿＿＿＿＿＿＿＿＿＿＿

＿＿＿＿＿＿＿＿＿＿＿＿＿＿＿＿＿＿＿＿＿＿＿＿＿＿

＿＿＿＿＿＿＿＿＿＿＿＿＿＿＿＿＿＿＿＿＿＿＿＿＿＿

＿＿＿＿＿＿＿＿＿＿＿＿＿＿＿＿＿＿＿＿＿＿＿＿＿＿

7 日期：＿＿＿＿＿＿＿＿＿＿

回想一下你從照片、文件或親戚講述的故事中，對自己誕生過
程的瞭解之後，哪個部分對你的情緒影響最大？

_____

_____

_____

_____

_____

_____

8 日期：＿＿＿＿＿＿＿＿＿＿

小時候感覺最孤單的一刻。

_____

_____

_____

_____

_____

_____

_____

_____

9 日期：＿＿＿＿＿＿＿

你對我、自己以及我們未來一年的關係發展，最深切的期待是
什麼？

＿＿＿＿＿＿＿＿＿＿＿＿＿＿＿＿＿＿＿＿＿＿＿＿＿＿＿＿＿

＿＿＿＿＿＿＿＿＿＿＿＿＿＿＿＿＿＿＿＿＿＿＿＿＿＿＿＿＿

＿＿＿＿＿＿＿＿＿＿＿＿＿＿＿＿＿＿＿＿＿＿＿＿＿＿＿＿＿

＿＿＿＿＿＿＿＿＿＿＿＿＿＿＿＿＿＿＿＿＿＿＿＿＿＿＿＿＿

＿＿＿＿＿＿＿＿＿＿＿＿＿＿＿＿＿＿＿＿＿＿＿＿＿＿＿＿＿

＿＿＿＿＿＿＿＿＿＿＿＿＿＿＿＿＿＿＿＿＿＿＿＿＿＿＿＿＿

＿＿＿＿＿＿＿＿＿＿＿＿＿＿＿＿＿＿＿＿＿＿＿＿＿＿＿＿＿

＿＿＿＿＿＿＿＿＿＿＿＿＿＿＿＿＿＿＿＿＿＿＿＿＿＿＿＿＿

10 日期：＿＿＿＿＿＿＿

是否曾經因為聆聽自己的心跳聲，使你對「活著」有著截然不
同的看法？

＿＿＿＿＿＿＿＿＿＿＿＿＿＿＿＿＿＿＿＿＿＿＿＿＿＿＿＿＿

＿＿＿＿＿＿＿＿＿＿＿＿＿＿＿＿＿＿＿＿＿＿＿＿＿＿＿＿＿

＿＿＿＿＿＿＿＿＿＿＿＿＿＿＿＿＿＿＿＿＿＿＿＿＿＿＿＿＿

＿＿＿＿＿＿＿＿＿＿＿＿＿＿＿＿＿＿＿＿＿＿＿＿＿＿＿＿＿

＿＿＿＿＿＿＿＿＿＿＿＿＿＿＿＿＿＿＿＿＿＿＿＿＿＿＿＿＿

＿＿＿＿＿＿＿＿＿＿＿＿＿＿＿＿＿＿＿＿＿＿＿＿＿＿＿＿＿

＿＿＿＿＿＿＿＿＿＿＿＿＿＿＿＿＿＿＿＿＿＿＿＿＿＿＿＿＿

11 日期：＿＿＿＿＿＿

如果複製技術足夠進步，而科學家將一種絕種
動物復活，你想讓哪種動物復活？為什麼？

_____

_____

_____

_____

_____

_____

_____

_____

_____

12 日期：＿＿＿＿＿＿

關於你的付出，有沒有什麼事是被我視為理所當然的？如果有
的話，我怎麼做能更讓你感受到我的重視和感謝？

_____

_____

_____

_____

_____

_____

_____

_____

_____

13 日期：_____

回到第4題的討論，如果能消除你的「後悔」，生命將有什麼
樣的改變？

_____

_____

_____

_____

_____

_____

_____

_____

_____

14 日期：_____

最近有意外受到陌生人善意對待的經驗嗎？對你的影響是什
麼？

_____

_____

_____

_____

_____

_____

_____

_____

_____

15 日期：＿＿＿＿＿＿＿

如果要寫一封動人的信給已經失聯的人，你會想寫什麼？

＿＿＿＿＿＿＿＿＿＿＿＿＿＿＿＿＿＿＿＿＿＿＿＿＿

＿＿＿＿＿＿＿＿＿＿＿＿＿＿＿＿＿＿＿＿＿＿＿＿＿

＿＿＿＿＿＿＿＿＿＿＿＿＿＿＿＿＿＿＿＿＿＿＿＿＿

＿＿＿＿＿＿＿＿＿＿＿＿＿＿＿＿＿＿＿＿＿＿＿＿＿

＿＿＿＿＿＿＿＿＿＿＿＿＿＿＿＿＿＿＿＿＿＿＿＿＿

＿＿＿＿＿＿＿＿＿＿＿＿＿＿＿＿＿＿＿＿＿＿＿＿＿

＿＿＿＿＿＿＿＿＿＿＿＿＿＿＿＿＿＿＿＿＿＿＿＿＿

＿＿＿＿＿＿＿＿＿＿＿＿＿＿＿＿＿＿＿＿＿＿＿＿＿

16 DATE:＿＿＿＿＿＿＿

如果一百年後，有一座為你建立的紀念碑，希望上面關於你的經典事蹟是什麼？詳細說明。

＿＿＿＿＿＿＿＿＿＿＿＿＿＿＿＿＿＿＿＿＿＿＿＿＿

＿＿＿＿＿＿＿＿＿＿＿＿＿＿＿＿＿＿＿＿＿＿＿＿＿

＿＿＿＿＿＿＿＿＿＿＿＿＿＿＿＿＿＿＿＿＿＿＿＿＿

＿＿＿＿＿＿＿＿＿＿＿＿＿＿＿＿＿＿＿＿＿＿＿＿＿

＿＿＿＿＿＿＿＿＿＿＿＿＿＿＿＿＿＿＿＿＿＿＿＿＿

＿＿＿＿＿＿＿＿＿＿＿＿＿＿＿＿＿＿＿＿＿＿＿＿＿

＿＿＿＿＿＿＿＿＿＿＿＿＿＿＿＿＿＿＿＿＿＿＿＿＿

🧠17 日期：＿＿＿＿＿＿＿

你是否曾因相信直覺，而遇到好事或免於危險的經驗？

_____

_____

_____

_____

_____

_____

_____

_____

_____

🕐18 日期：＿＿＿＿＿＿＿

假如換到另一個平行宇宙，你變成了自己以往（或目前）認為
最難相處的父親或母親，你認為自己會需要什麼東西（比方說
愛自己、有錢、安全感、心理治療），才能更懂得善待孩子
呢？

_____

_____

_____

_____

_____

_____

_____

19 日期：＿＿＿＿＿＿

社群媒體是否有擴大你的視野？或帶來哪些負面影響？

_____

_____

_____

_____

_____

_____

_____

_____

_____

_____

20 日期：＿＿＿＿＿＿

如果我們和另一對伴侶同時被困在一個小島上，完全沒機會獲救，你認為和哪一對伴侶朋友困在一起最好？為什麼？

_____

_____

_____

_____

_____

_____

_____

_____

_____

21

日期：＿＿＿＿＿＿＿

假如我們決定一起刺個情人款刺青，會是什麼樣的刺青？會刺在身體上的哪裡？這刺青又代表著我們的什麼呢？假如我們已經有情人款刺青了，這個刺青的意義是什麼？如何在生活中更進一步展現這個刺青背後的意義呢？

22

日期：＿＿＿＿＿＿＿

你有沒有從和你政治立場完全對立的人身上學到過什麼？你有什麼心得呢？

23 日期：＿＿＿＿＿＿

在你的想像中，什麼是我們最瘋狂、最奢侈的冒險？

_____

_____

_____

_____

_____

_____

_____

_____

_____

24 日期：＿＿＿＿＿＿

說一個我們負擔得起的冒險。為什麼我們現在還沒實現這場冒險？

_____

_____

_____

_____

_____

_____

_____

_____

_____

25 日期：＿＿＿＿＿＿＿

不同性別的人讓你羨慕的地方？

＿＿＿＿＿＿＿＿＿＿＿＿＿＿＿＿＿＿＿＿＿＿＿＿＿＿＿

＿＿＿＿＿＿＿＿＿＿＿＿＿＿＿＿＿＿＿＿＿＿＿＿＿＿＿

＿＿＿＿＿＿＿＿＿＿＿＿＿＿＿＿＿＿＿＿＿＿＿＿＿＿＿

＿＿＿＿＿＿＿＿＿＿＿＿＿＿＿＿＿＿＿＿＿＿＿＿＿＿＿

＿＿＿＿＿＿＿＿＿＿＿＿＿＿＿＿＿＿＿＿＿＿＿＿＿＿＿

＿＿＿＿＿＿＿＿＿＿＿＿＿＿＿＿＿＿＿＿＿＿＿＿＿＿＿

＿＿＿＿＿＿＿＿＿＿＿＿＿＿＿＿＿＿＿＿＿＿＿＿＿＿＿

＿＿＿＿＿＿＿＿＿＿＿＿＿＿＿＿＿＿＿＿＿＿＿＿＿＿＿

26 日期：＿＿＿＿＿＿＿

如果你家失火了，而你只能搶救三件只有感性價值（不像手機、錢包或電腦等事物具有實用價值）的東西，你會搶救什麼？為什麼？

＿＿＿＿＿＿＿＿＿＿＿＿＿＿＿＿＿＿＿＿＿＿＿＿＿＿＿

＿＿＿＿＿＿＿＿＿＿＿＿＿＿＿＿＿＿＿＿＿＿＿＿＿＿＿

＿＿＿＿＿＿＿＿＿＿＿＿＿＿＿＿＿＿＿＿＿＿＿＿＿＿＿

＿＿＿＿＿＿＿＿＿＿＿＿＿＿＿＿＿＿＿＿＿＿＿＿＿＿＿

＿＿＿＿＿＿＿＿＿＿＿＿＿＿＿＿＿＿＿＿＿＿＿＿＿＿＿

＿＿＿＿＿＿＿＿＿＿＿＿＿＿＿＿＿＿＿＿＿＿＿＿＿＿＿

🔥27 日期：＿＿＿＿＿＿

在六十秒內列出你目前「最喜愛事物」前十名，並一一分享為
什麼最喜愛這些事物？

＿＿＿＿＿＿＿＿＿＿＿＿＿＿＿＿＿＿＿＿＿＿＿＿＿＿

＿＿＿＿＿＿＿＿＿＿＿＿＿＿＿＿＿＿＿＿＿＿＿＿＿＿

＿＿＿＿＿＿＿＿＿＿＿＿＿＿＿＿＿＿＿＿＿＿＿＿＿＿

＿＿＿＿＿＿＿＿＿＿＿＿＿＿＿＿＿＿＿＿＿＿＿＿＿＿

＿＿＿＿＿＿＿＿＿＿＿＿＿＿＿＿＿＿＿＿＿＿＿＿＿＿

＿＿＿＿＿＿＿＿＿＿＿＿＿＿＿＿＿＿＿＿＿＿＿＿＿＿

＿＿＿＿＿＿＿＿＿＿＿＿＿＿＿＿＿＿＿＿＿＿＿＿＿＿

＿＿＿＿＿＿＿＿＿＿＿＿＿＿＿＿＿＿＿＿＿＿＿＿＿＿

🕐28 日期：＿＿＿＿＿＿

五年前，你原本希望現在的自己是什麼模樣？你原先對自己的
看法，和你原先所追求的事，如今有什麼改變嗎？

＿＿＿＿＿＿＿＿＿＿＿＿＿＿＿＿＿＿＿＿＿＿＿＿＿＿

＿＿＿＿＿＿＿＿＿＿＿＿＿＿＿＿＿＿＿＿＿＿＿＿＿＿

＿＿＿＿＿＿＿＿＿＿＿＿＿＿＿＿＿＿＿＿＿＿＿＿＿＿

＿＿＿＿＿＿＿＿＿＿＿＿＿＿＿＿＿＿＿＿＿＿＿＿＿＿

＿＿＿＿＿＿＿＿＿＿＿＿＿＿＿＿＿＿＿＿＿＿＿＿＿＿

＿＿＿＿＿＿＿＿＿＿＿＿＿＿＿＿＿＿＿＿＿＿＿＿＿＿

＿＿＿＿＿＿＿＿＿＿＿＿＿＿＿＿＿＿＿＿＿＿＿＿＿＿

29

如果可以憑一己之力透過慈善活動募得三千萬，你會將這筆錢捐助給誰？爲什麼？

_____

_____

_____

_____

_____

_____

_____

_____

_____

30

如果要從你喜愛的經典音樂人中選出四位，爲他們設立雕像紀念碑，你會選誰？最多只能選四位。

_____

_____

_____

_____

_____

_____

_____

_____

31

日期：＿＿＿＿＿＿

說明你希望在心理或靈性上有所成長的領域。

_____

_____

_____

_____

_____

_____

_____

_____

_____

_____

32

日期：＿＿＿＿＿＿

分享一個你最近遇到的尷尬經歷，以及你如何應對？

_____

_____

_____

_____

_____

_____

_____

33 日期：_____

如果可以穿越時空，你想選擇去哪個時間與地點？想去的原因
與目標是什麼？

_____

_____

_____

_____

_____

_____

_____

_____

_____

34 日期：_____

你是否有過揮之不去的夢魘，或者出於迷信的恐
懼？你認為這與你面臨的什麼困境、需求或渴
望有關？

_____

_____

_____

_____

_____

_____

_____

35

日期：＿＿＿＿＿＿＿

你認為自己最能接受哪種特定的靈性思想或宗教信仰？若沒有，為什麼？

_____

_____

_____

_____

_____

_____

_____

_____

36

日期：＿＿＿＿＿＿＿

如果能調製具神奇氣味，可以改變行為的香水，你希望這款香水如何幫助我們營造一個令人難忘的夜晚？

_____

_____

_____

_____

_____

_____

_____

_____

37 日期：＿＿＿＿＿＿

你希望自己或者他人，傳達給當代孩子們最重要的理念是什麼？為什麼？

＿＿＿＿＿＿＿＿＿＿＿＿＿＿＿＿＿＿＿＿＿＿＿＿＿＿＿＿＿

＿＿＿＿＿＿＿＿＿＿＿＿＿＿＿＿＿＿＿＿＿＿＿＿＿＿＿＿＿

＿＿＿＿＿＿＿＿＿＿＿＿＿＿＿＿＿＿＿＿＿＿＿＿＿＿＿＿＿

＿＿＿＿＿＿＿＿＿＿＿＿＿＿＿＿＿＿＿＿＿＿＿＿＿＿＿＿＿

＿＿＿＿＿＿＿＿＿＿＿＿＿＿＿＿＿＿＿＿＿＿＿＿＿＿＿＿＿

＿＿＿＿＿＿＿＿＿＿＿＿＿＿＿＿＿＿＿＿＿＿＿＿＿＿＿＿＿

＿＿＿＿＿＿＿＿＿＿＿＿＿＿＿＿＿＿＿＿＿＿＿＿＿＿＿＿＿

＿＿＿＿＿＿＿＿＿＿＿＿＿＿＿＿＿＿＿＿＿＿＿＿＿＿＿＿＿

＿＿＿＿＿＿＿＿＿＿＿＿＿＿＿＿＿＿＿＿＿＿＿＿＿＿＿＿＿

38 日期：＿＿＿＿＿＿

人生中影響你最深遠的一件事是什麼，你覺得它如何改變你？

＿＿＿＿＿＿＿＿＿＿＿＿＿＿＿＿＿＿＿＿＿＿＿＿＿＿＿＿＿

＿＿＿＿＿＿＿＿＿＿＿＿＿＿＿＿＿＿＿＿＿＿＿＿＿＿＿＿＿

＿＿＿＿＿＿＿＿＿＿＿＿＿＿＿＿＿＿＿＿＿＿＿＿＿＿＿＿＿

＿＿＿＿＿＿＿＿＿＿＿＿＿＿＿＿＿＿＿＿＿＿＿＿＿＿＿＿＿

＿＿＿＿＿＿＿＿＿＿＿＿＿＿＿＿＿＿＿＿＿＿＿＿＿＿＿＿＿

＿＿＿＿＿＿＿＿＿＿＿＿＿＿＿＿＿＿＿＿＿＿＿＿＿＿＿＿＿

＿＿＿＿＿＿＿＿＿＿＿＿＿＿＿＿＿＿＿＿＿＿＿＿＿＿＿＿＿

＿＿＿＿＿＿＿＿＿＿＿＿＿＿＿＿＿＿＿＿＿＿＿＿＿＿＿＿＿

＿＿＿＿＿＿＿＿＿＿＿＿＿＿＿＿＿＿＿＿＿＿＿＿＿＿＿＿＿

39 日期：_____

如果要連續愛撫你身上非性感帶的部位長達十分鐘，你希望是哪個部位？為什麼？

_____

_____

_____

_____

_____

_____

_____

_____

_____

40 日期：_____

如果網路斷線、停電、且沒油了，你認為我們將面臨最嚴峻的生存挑戰是什麼？

_____

_____

_____

_____

_____

_____

_____

41 日期：＿＿＿＿＿＿＿＿

面臨第40題的狀況時，我們各自擁有的技能如何增加我們的生存機率？

＿＿＿＿＿＿＿＿＿＿＿＿＿＿＿＿＿＿＿＿＿＿＿＿＿＿＿

＿＿＿＿＿＿＿＿＿＿＿＿＿＿＿＿＿＿＿＿＿＿＿＿＿＿＿

＿＿＿＿＿＿＿＿＿＿＿＿＿＿＿＿＿＿＿＿＿＿＿＿＿＿＿

＿＿＿＿＿＿＿＿＿＿＿＿＿＿＿＿＿＿＿＿＿＿＿＿＿＿＿

＿＿＿＿＿＿＿＿＿＿＿＿＿＿＿＿＿＿＿＿＿＿＿＿＿＿＿

＿＿＿＿＿＿＿＿＿＿＿＿＿＿＿＿＿＿＿＿＿＿＿＿＿＿＿

＿＿＿＿＿＿＿＿＿＿＿＿＿＿＿＿＿＿＿＿＿＿＿＿＿＿＿

＿＿＿＿＿＿＿＿＿＿＿＿＿＿＿＿＿＿＿＿＿＿＿＿＿＿＿

42 日期：＿＿＿＿＿＿＿＿

你有沒有什麼希望能藉此賺到錢的嗜好或興趣？如果有，是什麼樣的嗜好或興趣？如果沒有，要是能選擇的話，你會選擇什麼樣的嗜好或興趣？

＿＿＿＿＿＿＿＿＿＿＿＿＿＿＿＿＿＿＿＿＿＿＿＿＿＿＿

＿＿＿＿＿＿＿＿＿＿＿＿＿＿＿＿＿＿＿＿＿＿＿＿＿＿＿

＿＿＿＿＿＿＿＿＿＿＿＿＿＿＿＿＿＿＿＿＿＿＿＿＿＿＿

＿＿＿＿＿＿＿＿＿＿＿＿＿＿＿＿＿＿＿＿＿＿＿＿＿＿＿

＿＿＿＿＿＿＿＿＿＿＿＿＿＿＿＿＿＿＿＿＿＿＿＿＿＿＿

＿＿＿＿＿＿＿＿＿＿＿＿＿＿＿＿＿＿＿＿＿＿＿＿＿＿＿

＿＿＿＿＿＿＿＿＿＿＿＿＿＿＿＿＿＿＿＿＿＿＿＿＿＿＿

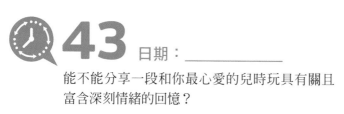

43 日期：＿＿＿＿＿＿＿

能不能分享一段和你最心愛的兒時玩具有關且
富含深刻情緒的回憶？

_____

_____

_____

_____

_____

_____

_____

_____

44 日期：＿＿＿＿＿＿＿

你想要當知名的運動員，還是知名的藝術家或其他類型的創作
者？為什麼想成為那一類的名人？有什麼優缺點？

_____

_____

_____

_____

_____

_____

_____

_____

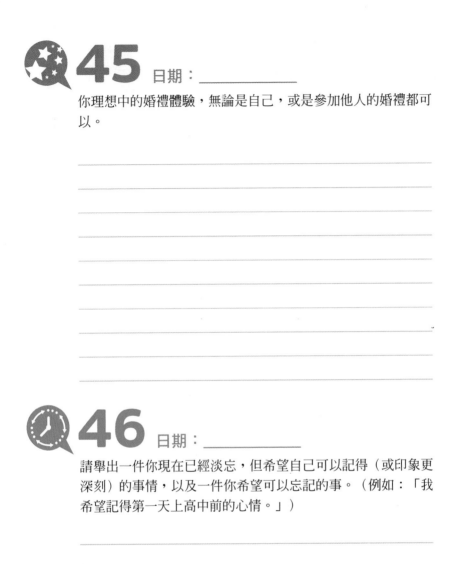

45
日期：＿＿＿＿＿＿＿＿

你理想中的婚禮體驗，無論是自己，或是參加他人的婚禮都可以。

_____

_____

_____

_____

_____

_____

_____

_____

46
日期：＿＿＿＿＿＿＿＿

請舉出一件你現在已經淡忘，但希望自己可以記得（或印象更深刻）的事情，以及一件你希望可以忘記的事。（例如：「我希望記得第一天上高中前的心情。」）

_____

_____

_____

_____

_____

_____

_____

_____

47

你必須與自己的剋星相處二十四小時，或是與我的剋星相處二十四小時，你覺得跟誰相處更困難／輕鬆？爲什麼？

48

如果有機會連續十分鐘盡情與我身上某個常被忽略的部位親密接觸，你會選擇哪個部位？爲什麼？

49

你感到最自我懷疑，但大多數人卻認為你相當有自信的一件事？

_____

_____

_____

_____

_____

_____

_____

_____

50

你是否曾有過超自然（或類超自然）經歷？若有，對你造成什麼影響？

_____

_____

_____

_____

_____

_____

_____

_____

51

分享生命中戰勝恐懼，或即便害怕，仍自我挑戰的難忘時刻。

52

你會在時空膠囊中留下什麼文字或物件，來代表自己現在的特質，提醒未來的自己不要忘記？

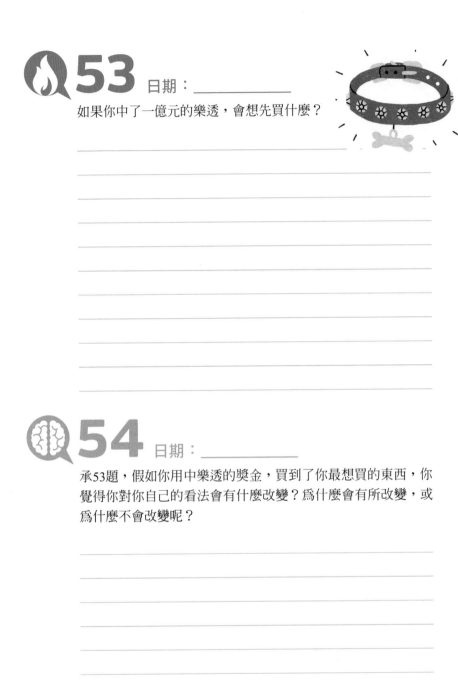

53 日期：＿＿＿＿＿＿＿＿

如果你中了一億元的樂透，會想先買什麼？

_____

_____

_____

_____

_____

_____

_____

_____

_____

54 日期：＿＿＿＿＿＿＿＿

承53題，假如你用中樂透的獎金，買到了你最想買的東西，你覺得你對你自己的看法會有什麼改變？為什麼會有所改變，或為什麼不會改變呢？

_____

_____

_____

_____

_____

_____

_____

_____

55

你是否記得曾經某次，某人對你食言、令你失望、自私自利，或出賣了你的信賴，卻其實宛如送了你一份大禮？

56

假如我們倆是地球上最後僅存的人類，你覺得我們會更珍惜還是更不珍惜自己的人生？

57 日期：＿＿＿＿＿＿

你想學會哪一種外語？學了有什麼好處？

_____

_____

_____

_____

_____

_____

_____

_____

_____

_____

58 日期：＿＿＿＿＿＿

現在最能讓你紓壓，但長期來說有害的事物？

_____

_____

_____

_____

_____

_____

_____

_____

_____

**59** 日期：＿＿＿＿＿＿＿

用自己的話表達你的世界觀？

60 日期：＿＿＿＿＿＿＿

如果能刪除一個人們常用的單字或句子，你會選什麼？爲什麼？

61 日期：＿＿＿＿＿＿＿

對我們解決衝突的方式，你最滿意哪一
點？

_____

_____

_____

_____

_____

_____

_____

_____

_____

62 日期：＿＿＿＿＿＿＿

你希望親身見證哪個歷史事件？為什麼？

_____

_____

_____

_____

_____

_____

_____

_____

_____

63 日期：＿＿＿＿＿＿＿＿＿

你從母親，或是對你而言像母親的人身上學到最重要的一件
事？

_____

_____

_____

_____

_____

_____

_____

64 日期：＿＿＿＿＿＿＿＿＿

你從父親，或是對你而言像父親的人身上學到最重要的一件
事？

_____

_____

_____

_____

_____

_____

_____

65

日期：＿＿＿＿＿＿＿

你寧可自己坐擁過多奢華美好的事物，因此感到生活索然無味；還是希望自己因為始終擁有得不夠，而總是迫切渴望追求？

_____

_____

_____

_____

_____

_____

_____

_____

66

日期：＿＿＿＿＿＿＿

如果能種一棵會長出任何東西的樹，你想種出什麼？這棵樹的「果實」能對誰或是對什麼事物帶來幫助？「搖錢樹」不能算是答案）

_____

_____

_____

_____

_____

_____

67

日期：＿＿＿＿＿＿

壓力大時，如果可以讓時間暫停，把自己傳送到宇宙的任一個
角落冷靜一下，沉思一小時，你想去哪裡？

68

日期：＿＿＿＿＿＿

你認爲自己性別最大的好處？

69

日期：＿＿＿＿＿＿＿＿＿

對現在的你來說，追求專業職涯發展，還是探索自己的熱情所
在更讓你感到雀躍？

_____

_____

_____

_____

_____

_____

_____

_____

_____

70

日期：＿＿＿＿＿＿＿＿＿

如果你能發現一個星座，並以我為靈感命名，這個
星座會長什麼樣？這個星座會叫什麼名字？（不能直接
用我的名字）

_____

_____

_____

_____

_____

_____

_____

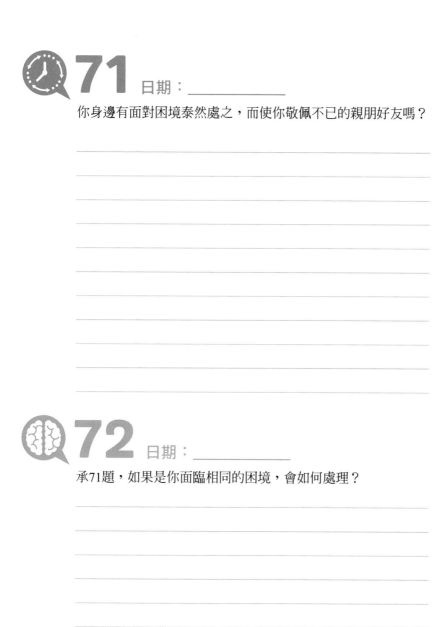

71

日期：＿＿＿＿＿＿＿＿

你身邊有面對困境泰然處之，而使你敬佩不已的親朋好友嗎？

72

日期：＿＿＿＿＿＿＿＿

承71題，如果是你面臨相同的困境，會如何處理？

73 日期：＿＿＿＿＿＿＿

你認爲哪種動物最能代表你的個性？爲什
麼？我呢？

＿＿＿＿＿＿＿＿＿＿＿＿＿＿＿＿＿＿＿＿＿＿＿

＿＿＿＿＿＿＿＿＿＿＿＿＿＿＿＿＿＿＿＿＿＿＿

＿＿＿＿＿＿＿＿＿＿＿＿＿＿＿＿＿＿＿＿＿＿＿

＿＿＿＿＿＿＿＿＿＿＿＿＿＿＿＿＿＿＿＿＿＿＿

＿＿＿＿＿＿＿＿＿＿＿＿＿＿＿＿＿＿＿＿＿＿＿

＿＿＿＿＿＿＿＿＿＿＿＿＿＿＿＿＿＿＿＿＿＿＿

＿＿＿＿＿＿＿＿＿＿＿＿＿＿＿＿＿＿＿＿＿＿＿

＿＿＿＿＿＿＿＿＿＿＿＿＿＿＿＿＿＿＿＿＿＿＿

74 日期：＿＿＿＿＿＿＿

你對自慰眞正的看法？這些年來，你對自慰的想法有何轉變？

＿＿＿＿＿＿＿＿＿＿＿＿＿＿＿＿＿＿＿＿＿＿＿

＿＿＿＿＿＿＿＿＿＿＿＿＿＿＿＿＿＿＿＿＿＿＿

＿＿＿＿＿＿＿＿＿＿＿＿＿＿＿＿＿＿＿＿＿＿＿

＿＿＿＿＿＿＿＿＿＿＿＿＿＿＿＿＿＿＿＿＿＿＿

＿＿＿＿＿＿＿＿＿＿＿＿＿＿＿＿＿＿＿＿＿＿＿

＿＿＿＿＿＿＿＿＿＿＿＿＿＿＿＿＿＿＿＿＿＿＿

＿＿＿＿＿＿＿＿＿＿＿＿＿＿＿＿＿＿＿＿＿＿＿

75 日期：＿＿＿＿＿＿

鉅細靡遺地描述你心目中完美一天從早到晚的行程。

76 日期：＿＿＿＿＿＿

你覺得自己與性高潮之間的關係如何？距離很遙遠、很接近還是親密無間？這些年來又有何變化？

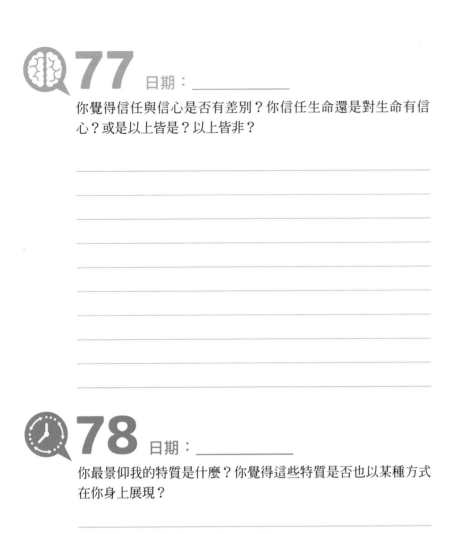

77

日期：＿＿＿＿＿＿＿

你覺得信任與信心是否有差別？你信任生命還是對生命有信心？或是以上皆是？以上皆非？

78

日期：＿＿＿＿＿＿＿

你最景仰我的特質是什麼？你覺得這些特質是否也以某種方式在你身上展現？

79

假想某天一覺醒來，你的人生和現在沒兩樣，唯一差別是你向來在性愛方面視為「正常的」、「好的」或「對的」事情，在你身邊的人眼中忽然通通變成「不正常的」、「不好的」或「錯的」。這對你自己的自我觀感會產生什麼樣的影響呢？

_____

_____

_____

_____

_____

_____

_____

_____

80

你認為地球未來最重要的學科領域是什麼？科學、藝術、醫學、科技、心理學、政治學、工程學還是其他？為什麼？

_____

_____

_____

_____

_____

_____

_____

81 日期：＿＿＿＿＿＿

如果一整天都不能使用手機、平板電腦或其他
科技產品，你會把自己的閒暇時間與注意力投
注在什麼東西上？（試著買一部新的科技產品
除外）

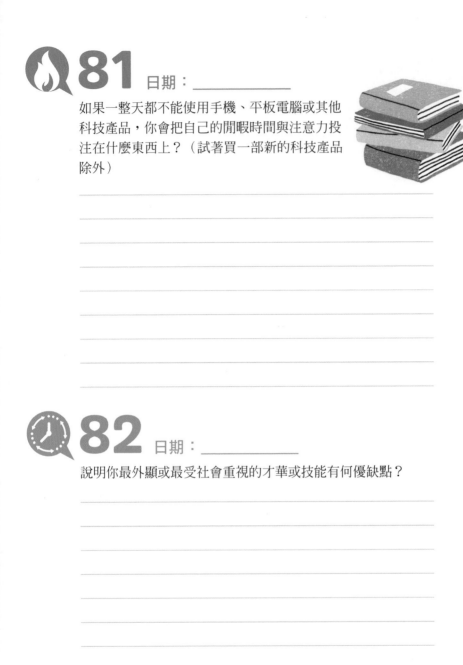

＿＿＿＿＿＿＿＿＿＿＿＿＿＿＿＿＿＿＿＿＿＿＿

＿＿＿＿＿＿＿＿＿＿＿＿＿＿＿＿＿＿＿＿＿＿＿

＿＿＿＿＿＿＿＿＿＿＿＿＿＿＿＿＿＿＿＿＿＿＿

＿＿＿＿＿＿＿＿＿＿＿＿＿＿＿＿＿＿＿＿＿＿＿

＿＿＿＿＿＿＿＿＿＿＿＿＿＿＿＿＿＿＿＿＿＿＿

＿＿＿＿＿＿＿＿＿＿＿＿＿＿＿＿＿＿＿＿＿＿＿

82 日期：＿＿＿＿＿＿

說明你最外顯或最受社會重視的才華或技能有何優缺點？

＿＿＿＿＿＿＿＿＿＿＿＿＿＿＿＿＿＿＿＿＿＿＿

＿＿＿＿＿＿＿＿＿＿＿＿＿＿＿＿＿＿＿＿＿＿＿

＿＿＿＿＿＿＿＿＿＿＿＿＿＿＿＿＿＿＿＿＿＿＿

＿＿＿＿＿＿＿＿＿＿＿＿＿＿＿＿＿＿＿＿＿＿＿

＿＿＿＿＿＿＿＿＿＿＿＿＿＿＿＿＿＿＿＿＿＿＿

＿＿＿＿＿＿＿＿＿＿＿＿＿＿＿＿＿＿＿＿＿＿＿

＿＿＿＿＿＿＿＿＿＿＿＿＿＿＿＿＿＿＿＿＿＿＿

83

日期：＿＿＿＿＿＿＿＿＿

如果你所有數位裝置需要放上一句名言當螢幕保護程式，你會
選哪一句名言？這句話是用來當作警惕、繆思還是幫助他人更
瞭解你？

84

日期：＿＿＿＿＿＿＿＿＿

無論大小，請舉出三件你今年「絕對要完成」的事情。

**85** 日期：＿＿＿＿＿＿＿

你最不外顯或最不受社會重視的才華或技能是什麼？這對你有何幫助？

_____

_____

_____

_____

_____

_____

_____

_____

_____

86 日期：＿＿＿＿＿＿＿

你認為愛自己與自私自利之間有何差異？愛自己還是避免自私更難？

_____

_____

_____

_____

_____

_____

_____

_____

_____

87 日期：＿＿＿＿＿＿＿＿

你覺得我最外顯或最受社會重視的才華或技能是什麼？

_____

_____

_____

_____

_____

_____

_____

_____

_____

_____

88 日期：＿＿＿＿＿＿＿＿

你認為我有什麼怪癖，讓你一開始有些疑慮，
但後來卻能欣然接納、喜愛？

_____

_____

_____

_____

_____

_____

_____

**89** 日期：＿＿＿＿＿＿

你覺得我最不外顯或最不受社會重視的才華或技能是什麼？你覺得這為什麼重要？

_____

_____

_____

_____

_____

_____

_____

_____

_____

**90** 日期：＿＿＿＿＿＿

如果你可以寫一本書，主題會是什麼？你寫作的動機是為了滿足個人心願，還是為了賺錢？（如果你已經寫過書，可以替換成其他媒材，像是電影、繪畫等。）

_____

_____

_____

_____

_____

_____

_____

91

日期：＿＿＿＿＿＿＿＿

請分享成長過程中，一位重要的老師或導師對你最深刻的影響。

92

日期：＿＿＿＿＿＿＿＿

你覺得極端自我中心有什麼好處？以及過度強調自己與宇宙萬物息息相關，牽一髮動全身又有什麼壞處？

93 日期：＿＿＿＿＿＿

自我們交往以來，你認為我對你最深刻的影響，又或是我們之間最有意義的事件？

＿＿＿＿＿＿＿＿＿＿＿＿＿＿＿＿＿＿＿＿＿＿＿＿＿＿＿

＿＿＿＿＿＿＿＿＿＿＿＿＿＿＿＿＿＿＿＿＿＿＿＿＿＿＿

＿＿＿＿＿＿＿＿＿＿＿＿＿＿＿＿＿＿＿＿＿＿＿＿＿＿＿

＿＿＿＿＿＿＿＿＿＿＿＿＿＿＿＿＿＿＿＿＿＿＿＿＿＿＿

＿＿＿＿＿＿＿＿＿＿＿＿＿＿＿＿＿＿＿＿＿＿＿＿＿＿＿

＿＿＿＿＿＿＿＿＿＿＿＿＿＿＿＿＿＿＿＿＿＿＿＿＿＿＿

＿＿＿＿＿＿＿＿＿＿＿＿＿＿＿＿＿＿＿＿＿＿＿＿＿＿＿

＿＿＿＿＿＿＿＿＿＿＿＿＿＿＿＿＿＿＿＿＿＿＿＿＿＿＿

94 日期：＿＿＿＿＿＿

生命中你最期盼實現、對你來說代表功成名就的一件事？

＿＿＿＿＿＿＿＿＿＿＿＿＿＿＿＿＿＿＿＿＿＿＿＿＿＿＿

＿＿＿＿＿＿＿＿＿＿＿＿＿＿＿＿＿＿＿＿＿＿＿＿＿＿＿

＿＿＿＿＿＿＿＿＿＿＿＿＿＿＿＿＿＿＿＿＿＿＿＿＿＿＿

＿＿＿＿＿＿＿＿＿＿＿＿＿＿＿＿＿＿＿＿＿＿＿＿＿＿＿

＿＿＿＿＿＿＿＿＿＿＿＿＿＿＿＿＿＿＿＿＿＿＿＿＿＿＿

＿＿＿＿＿＿＿＿＿＿＿＿＿＿＿＿＿＿＿＿＿＿＿＿＿＿＿

＿＿＿＿＿＿＿＿＿＿＿＿＿＿＿＿＿＿＿＿＿＿＿＿＿＿＿

95

日期：＿＿＿＿＿＿＿＿

如果你可以創立一種新型態的政府，它的制度會最接近民主、
社會主義、仁慈獨裁還是其他？

96

日期：＿＿＿＿＿＿＿＿

你最害怕聽到具有權威的人對你說什麼？

97 日期：＿＿＿＿＿＿＿

你想要從事無法追蹤、「無害」的白領犯罪，並藉此致富；還是想阻止一場犯罪，即便沒有金錢利益，卻能成爲地方英雄，受人愛戴？

_____

_____

_____

_____

_____

_____

_____

_____

98 日期：＿＿＿＿＿＿＿

想像我們在夜裡躺在草地上，看著滿天星斗，突然一顆流星劃過。你認爲這代表什麼好兆頭？

_____

_____

_____

_____

_____

_____

_____

_____

99 日期：＿＿＿＿＿＿

你曾吃過最特別的一餐？為什麼這一餐如此有意義？

_____

_____

_____

_____

_____

_____

_____

_____

_____

100 日期：＿＿＿＿＿＿

飛行與隱形這兩種超能力你會選擇哪一種？為什麼？這項能力
對我有何影響？

_____

_____

_____

_____

_____

_____

_____

_____

_____

101

日期：＿＿＿＿＿＿＿＿＿

你覺得自己的種族或民族認同可能帶來什麼好處或壞處？

102

日期：＿＿＿＿＿＿＿＿＿

你最羨慕的人格特質是什麼？原因是？

103

犯錯時，你能泰然處之，還是羞憤不已？

104

認識我如何改變你對愛情的想法？

105

如果可以自製一張能幫助你回想起最歡樂時光的香味刮刮卡，
這張卡會是什麼味道？爲什麼？

106

壓力過大或感到焦慮時，我們能如何更有效地拉近彼此的關
係？

107

請分享你與一個場所、一件事物、一盆植物或一隻動物之間強烈、難以言喻（且很可能帶有心靈意義）的情感連結。

_____

_____

_____

_____

_____

_____

_____

_____

108

請分享一件若現在可以重新來過，會讓你感動落淚的童年事物或生活方式。

_____

_____

_____

_____

_____

_____

109

日期：＿＿＿＿＿＿

你從小到大，成長過程中，有沒有什麼很類似假想朋友的東西？請描述一下。

_____

_____

_____

_____

_____

_____

_____

110

日期：＿＿＿＿＿＿

如果你有一枚神奇硬幣，丟到許願池中，就能保證願望實現，你**此時此刻**想許什麼願？為什麼？（不能許願發大財）

_____

_____

_____

_____

_____

_____

_____

_____

111 日期：＿＿＿＿＿＿＿＿

如果你可以創造一套新語言來加強我們的溝通，這個語言會叫做什麼？這種語言能提供我們什麼幫助？你現在會用這套新語言對我說什麼？

112 日期：＿＿＿＿＿＿＿＿

你希望自己在前青少年時期與青少年時期接受什麼性教育？

113

日期：＿＿＿＿＿＿＿＿

你的傳統文化中，有哪個部分讓你覺得自己格格不入、備受挑戰，或被你視為「不盡符合」你的身分認同？如果擁抱或進一步探索你自己的這個層面，有沒有可能幫助你成長成一個更完整、更踏實，或更圓滿的人？

_____

_____

_____

_____

_____

_____

_____

_____

114

日期：＿＿＿＿＿＿＿＿

一想到愛情，你首先想到、對你有特別意義的歌曲是什麼？這首歌為什麼特別？

_____

_____

_____

_____

_____

_____

_____

_____

115

你認為自己為什麼喜歡打破／遵守規則？

116

你第一位難忘的愛慕對象是誰？你為什麼喜歡他／她？

117

日期：＿＿＿＿＿＿＿＿

分享一件讓你痛苦，使你決定自欺欺人，不去正視（或否認）的事？為什麼面對或接受這件事的真相很難？

_____

_____

_____

_____

_____

_____

_____

_____

_____

118

日期：＿＿＿＿＿＿＿＿

我們感到無聊、情緒低落或焦慮時，可以從事什麼簡單活動，好讓精神振作起來？

_____

_____

_____

_____

_____

_____

_____

_____

_____

119

日期：＿＿＿＿＿＿＿＿＿＿

最能代表你童年的食物或餐點？爲什麼能觸發你的童年回憶？

120

日期：＿＿＿＿＿＿＿＿＿＿

花兩分鐘時間寫一首短詩，頌讚我們關係中最美好的一件事。
完成後，慢慢地讀給我聽。

🕐 121 日期：＿＿＿＿＿＿

你希望從自己年輕歲月的時光膠囊中拿出什麼來緬懷？你能想像現在跟我一起做這件事嗎？

_____

_____

_____

_____

_____

_____

_____

_____

_____

🧠 122 日期：＿＿＿＿＿＿

對你來說，金錢最能代表愛情、自由、奢華、安全、尊重，還是其他東西？你為什麼會這樣想？

_____

_____

_____

_____

_____

_____

_____

_____

_____

123

日期：＿＿＿＿＿＿

想像你要擔任「快樂天堂」的專案經理。來賓可以在這裡找到什麼令人驚喜的活動？

_____

_____

_____

_____

_____

_____

_____

124

日期：＿＿＿＿＿＿

我們兩個最明顯的相似之處？

_____

_____

_____

_____

_____

_____

_____

_____

 **125** 日期：＿＿＿＿＿＿＿

我們較不那麼顯而易見，因此大多數人常忽略的相似之處是什麼呢？

_____

_____

_____

_____

_____

_____

_____

_____

126 日期：＿＿＿＿＿＿＿

如果我生氣了，向你表達不滿，該怎麼表達你才願意傾聽，以至於我不會悶在心裡，暗自埋怨？

_____

_____

_____

_____

_____

_____

_____

_____

127 日期：＿＿＿＿＿＿

你最像哪一位親戚或照顧者？哪裡像？

128 日期：＿＿＿＿＿＿

生命中，你曾悖逆過哪一位對你影響深遠的人物，而現在卻能瞭解他／她的苦心？爲什麼？

🔥129 日期：＿＿＿＿＿＿

想像我們被手銬銬在一起二十四小時。請詳細說明這對你造成的最大的不便是什麼？

🧠130 日期：＿＿＿＿＿＿

你心目中理想的家，臥室窗外的景色應該是什麼？每天早晨起來都能看到這幅景致會帶給你什麼感覺？

131

日期：＿＿＿＿＿＿

你認為對我來說，最難放棄的日常習慣是什麼？

132

日期：＿＿＿＿＿＿

你最早的記憶？

133

日期：_____

如果我們要一起製作一部短片，你認為內容會是什麼？我們在製片過程中分別扮演什麼角色？

_____

_____

_____

_____

_____

_____

_____

_____

_____

134

日期：_____

大多數時候能真正瞭解你的朋友是誰？他們如何表現對你的瞭解？

_____

_____

_____

_____

_____

_____

_____

_____

_____

135

日期：_____

如果我揮一揮魔杖就能掃除你的一個
煩惱，你希望我掃除什麼？想到這個煩惱煙消雲
散時有什麼感覺？

_____
_____
_____
_____
_____
_____
_____

136

日期：_____

如果你可以透過夢境、先知或神奇的方式得到一個問題的解
答，你會問什麼問題？

_____
_____
_____
_____
_____
_____
_____

137 日期：＿＿＿＿＿＿

請毫不含蓄地誇耀自己做過最無私或慷慨的事。

＿＿＿＿＿＿＿＿＿＿＿＿＿＿＿＿＿＿＿＿＿

＿＿＿＿＿＿＿＿＿＿＿＿＿＿＿＿＿＿＿＿＿

＿＿＿＿＿＿＿＿＿＿＿＿＿＿＿＿＿＿＿＿＿

＿＿＿＿＿＿＿＿＿＿＿＿＿＿＿＿＿＿＿＿＿

＿＿＿＿＿＿＿＿＿＿＿＿＿＿＿＿＿＿＿＿＿

＿＿＿＿＿＿＿＿＿＿＿＿＿＿＿＿＿＿＿＿＿

＿＿＿＿＿＿＿＿＿＿＿＿＿＿＿＿＿＿＿＿＿

＿＿＿＿＿＿＿＿＿＿＿＿＿＿＿＿＿＿＿＿＿

138 日期：＿＿＿＿＿＿

請分享一件現在看起來很丟臉，但五年後回首卻會讓你感到驕傲的事。

＿＿＿＿＿＿＿＿＿＿＿＿＿＿＿＿＿＿＿＿＿

＿＿＿＿＿＿＿＿＿＿＿＿＿＿＿＿＿＿＿＿＿

＿＿＿＿＿＿＿＿＿＿＿＿＿＿＿＿＿＿＿＿＿

＿＿＿＿＿＿＿＿＿＿＿＿＿＿＿＿＿＿＿＿＿

＿＿＿＿＿＿＿＿＿＿＿＿＿＿＿＿＿＿＿＿＿

＿＿＿＿＿＿＿＿＿＿＿＿＿＿＿＿＿＿＿＿＿

＿＿＿＿＿＿＿＿＿＿＿＿＿＿＿＿＿＿＿＿＿

＿＿＿＿＿＿＿＿＿＿＿＿＿＿＿＿＿＿＿＿＿

139

日期：＿＿＿＿＿＿＿＿

你能夠回想並描述自己第一次感覺我喜歡你是什麼時候嗎？

140

日期：＿＿＿＿＿＿＿＿

請舉出一件能讓我在你面前無意間表現出性感的事。

141

日期：＿＿＿＿＿＿＿＿

人生旅途一路走來，你對於「美醜只是一種觀點」有何領悟？

142

日期：＿＿＿＿＿＿＿＿

從小到大，你曾得到過什麼樣疼愛的肢體接觸或稱讚的言詞？
當年得到或缺乏這些接觸或讚美時，你又是什麼樣的感受？

143 日期：＿＿＿＿＿＿＿＿

我今天可以怎麼做讓你感覺自己很特別、被愛、被照顧？

144 日期：＿＿＿＿＿＿＿＿

請分享一張現在看來會讓你感到難為情的舊照片。請清楚說明感到難為情的原因。

145 日期：＿＿＿＿＿＿

在你難過時，我能說什麼或做什麼來幫你排
遣憂傷？

_____

_____

_____

_____

_____

_____

_____

_____

_____

146 日期：＿＿＿＿＿＿

假想在我們生活的地方，只能透過襪子來表達自己。請說說你
會想穿哪些不同的襪子。要是每個人每天中午都強制要脫掉左
腳襪子，和別人交換穿，你中午時間最不想遇上誰呢？

_____

_____

_____

_____

_____

_____

_____

_____

147 日期：＿＿＿＿＿＿

你覺得目前哪個朋友為我的生命帶來最多益處？

148 日期：＿＿＿＿＿＿

你朋友之中，有哪個人讓你覺得，你有時候可以把跟她或他的
界線再劃分得更清楚一點？

149

日期：＿＿＿＿＿＿

分享一個你從未告訴我，但卻覺得我很可愛的地方。

_____

_____

_____

_____

_____

_____

_____

_____

_____

150

日期：＿＿＿＿＿＿

你相信命運嗎？如果相信，你覺得自己的命運將會如何？或者
你為什麼不相信？

_____

_____

_____

_____

_____

_____

_____

_____

_____

151 日期：＿＿＿＿＿＿＿＿

你覺得，我可以敞開心胸原諒生命中的
哪個人？這能為我帶來什麼好處？

＿＿＿＿＿＿＿＿＿＿＿＿＿＿＿＿＿＿

＿＿＿＿＿＿＿＿＿＿＿＿＿＿＿＿＿＿

＿＿＿＿＿＿＿＿＿＿＿＿＿＿＿＿＿＿

＿＿＿＿＿＿＿＿＿＿＿＿＿＿＿＿＿＿

＿＿＿＿＿＿＿＿＿＿＿＿＿＿＿＿＿＿

＿＿＿＿＿＿＿＿＿＿＿＿＿＿＿＿＿＿

＿＿＿＿＿＿＿＿＿＿＿＿＿＿＿＿＿＿

152 日期：＿＿＿＿＿＿＿＿

你覺得我能如何變得更平易近人？你希望我朝這個方向改變
嗎？為什麼？

＿＿＿＿＿＿＿＿＿＿＿＿＿＿＿＿＿＿

＿＿＿＿＿＿＿＿＿＿＿＿＿＿＿＿＿＿

＿＿＿＿＿＿＿＿＿＿＿＿＿＿＿＿＿＿

＿＿＿＿＿＿＿＿＿＿＿＿＿＿＿＿＿＿

＿＿＿＿＿＿＿＿＿＿＿＿＿＿＿＿＿＿

＿＿＿＿＿＿＿＿＿＿＿＿＿＿＿＿＿＿

＿＿＿＿＿＿＿＿＿＿＿＿＿＿＿＿＿＿

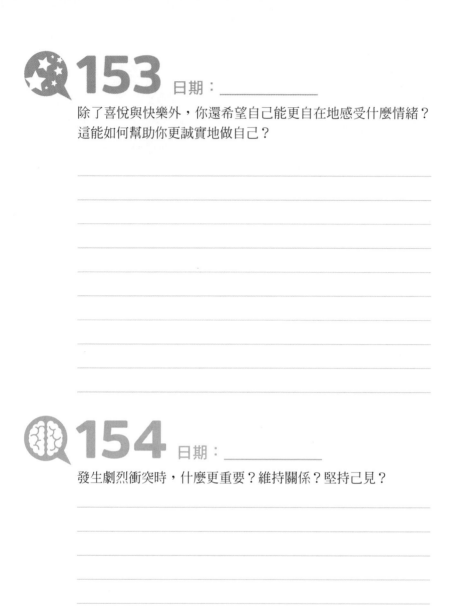

153

日期：＿＿＿＿＿＿

除了喜悅與快樂外，你還希望自己能更自在地感受什麼情緒？
這能如何幫助你更誠實地做自己？

154

日期：＿＿＿＿＿＿

發生劇烈衝突時，什麼更重要？維持關係？堅持己見？

155 日期：_____

如果我是間諜，你覺得最適合我的代號與假身分會是什麼？

_____

_____

_____

_____

_____

_____

_____

156 日期：_____

展示你身上一處我沒有注意到或沒有太用心留意的舊傷疤。與我分享這條傷疤的故事。如果我早已瞭解你身上的每一處傷疤，還有任何我可能未充分瞭解的心靈或情緒創傷嗎？

_____

_____

_____

_____

_____

_____

157 日期：＿＿＿＿＿＿

如果可以投身歷史上人們追求過的一個重大目標，你想爲什麼目標奉獻？爲什麼？

_____

_____

_____

_____

_____

_____

_____

_____

_____

158 日期：＿＿＿＿＿＿

生病時，你希望我如何照顧你？

_____

_____

_____

_____

_____

_____

_____

_____

_____

_____

159

日期：＿＿＿＿＿＿＿＿

你對疾病有何看法或詮釋？這些想法在你突然生病時，如何幫助或傷害你？這些想法從何而來？

_____

_____

_____

_____

_____

_____

_____

_____

_____

160

日期：＿＿＿＿＿＿＿＿

如果我從今以後只能在食物中加一種調味料，你覺得我會選什麼？這反映了我個性的什麼特質？

_____

_____

_____

_____

_____

_____

_____

_____

_____

161

日期：＿＿＿＿＿＿＿＿

（如果我們今天要做）特別的定情項鍊、手鍊或戒指，上面應該刻些什麼，才能代表我們之間獨特的關係？

_____

_____

_____

_____

_____

_____

_____

_____

162

日期：＿＿＿＿＿＿＿＿

你國小時最重視的友誼為你帶來什麼幫助？

_____

_____

_____

_____

_____

_____

_____

_____

_____

_____

163

哪首歌最能讓你想到我？爲什麼？（不能選擇婚禮主題曲）

164

如果未來的衣櫃中，只會有一件能自動服貼你身材的奈米纖維
服飾，你會覺得鬆了一口氣，還是會想念透過穿搭表現自我的
歲月？穿著打扮表現了你的什麼特質？

165

如果能夠控制演化，你會讓人類獲得什麼額外能力？爲什麼？

166

你家族中最黑暗的祕密？

167

日期：＿＿＿＿＿＿＿

你最大的夢想？

_____

_____

_____

_____

_____

_____

_____

_____

168

日期：＿＿＿＿＿＿＿

目前阻止你去追求自己最大夢想的原因？你可以從哪些小事做起，開始築夢踏實？

_____

_____

_____

_____

_____

_____

_____

_____

169 日期：＿＿＿＿＿＿＿＿

你最喜歡的飲料？聞到這種飲料的味道會激發什麼感受？

_____

_____

_____

_____

_____

_____

_____

_____

_____

170 日期：＿＿＿＿＿＿＿＿

如果你可以在自己創造的多人電玩遊戲世界裡生活一年，你想
住在哪一種遊戲裡，好讓自己感覺彷彿還置身真實世界？

_____

_____

_____

_____

_____

_____

_____

_____

171

日期：＿＿＿＿＿＿＿＿

在我沮喪時，你會分享什麼名言錦句鼓勵我？

172

日期：＿＿＿＿＿＿＿＿

你收過最有意義的禮物是什麼？為什麼？

173

日期：＿＿＿＿＿＿＿＿

請分享你臨終時希望自己眞心相信的遺言是什麼。這些話爲什
麼重要？

_____

_____

_____

_____

_____

_____

_____

_____

174

日期：＿＿＿＿＿＿＿＿

你現在討厭，但十年後想再嘗試看看的事物？

_____

_____

_____

_____

_____

_____

_____

175

日期：＿＿＿＿＿＿＿

請舉出最能讓你想到我的三件東西？爲什麼？

176

日期：＿＿＿＿＿＿＿

身兼數職還是專心在一件事情上更難？爲什麼？根據前述答案，若能練習去做你不擅長的那件事，對你以及／對我們的關係有何幫助？

177

日期：_____

在劇烈的暴風雨中，你有何感受？害怕？
興奮？放鬆？這些情緒與過去的經驗有關
嗎？

_____

_____

_____

_____

_____

_____

_____

178

日期：_____

什麼日常活動能幫助你保持樂觀，這項活動如何／為什麼能幫
助你維持正面積極的態度？

_____

_____

_____

_____

_____

_____

_____

🔥179 日期：＿＿＿＿＿＿＿＿＿＿

如果要用一種食物或飲料泡澡，你最希望用什麼？如果我們一起用這個東西泡澡，感覺如何呢？

🕐180 日期：＿＿＿＿＿＿＿＿＿＿

我們一起相處的時光中，最讓你享受的時刻？

181

日期：＿＿＿＿＿＿

你認爲在我們的關係中，你需要更多空間，還是希望彼此更緊密連結，才能讓你有安全感？爲什麼？

182

日期：＿＿＿＿＿＿

請分享你在我沒察覺的時候仔細觀察我，並因此對我產生好感的時刻。

183

日期：＿＿＿＿＿＿＿＿＿

請分享我這星期，讓你確實相當感激的一件事？

184

日期：＿＿＿＿＿＿＿＿＿

你認為我們初次見面時，最性感的是在哪一刻？

185

日期：＿＿＿＿＿＿＿＿

你生命中最視為理所當然，而你希望更加珍惜的事物是什麼？
朋友？工作？健康？財富？智慧？還是其他？

186

日期：＿＿＿＿＿＿＿＿

如果我們爭吵得越來越激烈，下列哪一句回應可能有助於緩解
緊張？哪一句話可能使狀況更糟糕？①我說：「就算吵架，我
也希望你知道我愛你。我們抱一個休戰吧。」②我說：「我需
要離開冷靜一下，等等就回來。」然後走出房間。③我閉上眼
睛，穩穩坐著，然後慢慢地、專注地呼吸二十下。

187

如果你必須通勤一大段路去上班，你願意放棄什麼奢侈品，好換來較短的通勤路程？你又會為了什麼奢侈品放棄較短的通勤路程？

188

如果我們以站姿被困在一個衣櫃裡，只有在我們達到性慾巔峰時衣櫃門才會打開，你希望我們透過什麼前戲在五分鐘內把門打開？

189

日期：＿＿＿＿＿＿＿＿

你認為成長過程中，什麼事情教會你要享受生命？為什麼？

_____

_____

_____

_____

_____

_____

_____

_____

_____

190

日期：＿＿＿＿＿＿＿＿

如果可以寫一封信，給你認為為我帶來最多正
面影響的人，你會寫給誰？信上會寫什麼？

_____

_____

_____

_____

_____

_____

191

日期：＿＿＿＿＿＿＿＿＿＿＿

你最常批評別人什麼？你認爲這項批評代表了你潛藏的什麼需
求或渴望？

192

日期：＿＿＿＿＿＿＿＿＿＿＿

你覺得我們能立下哪一種情侶活動的最長紀錄？牽手？親吻？
前戲？大笑？品味美食？在床上相擁？

193 日期：＿＿＿＿＿＿

在一天的末了，當我們彼此交流、經營關係時，你希望我問你什麼問題，幫助你放鬆，並感覺受到接納與歡迎？

---

194 日期：＿＿＿＿＿＿

從去年跨年夜至今，你有哪些成長與改變？

195

如果能活到一百歲，你覺得自己對什麼事情會絲毫不厭倦？

196

如果能將你所喜愛的人們（無論生死）聚集起來度過一個有趣的夜晚，你會邀請誰？你們將如何度過這個夜晚？

197

你年輕一點時曾放棄過自己的某個嗜好，像是
油畫、繪畫、寫作、攀岩、冰球、網球、社交
舞、鋼琴嗎？現在為什麼不重拾這項嗜好？

_____

_____

_____

_____

_____

_____

_____

_____

198

如果你需要接受治療，我能如何支持你？

_____

_____

_____

_____

_____

_____

_____

_____

199

日期：＿＿＿＿＿＿＿＿

我們可以從彼此的家族傳統或文化中學到什麼？

200

日期：＿＿＿＿＿＿＿＿

你希望自己的心靈如何成長或開拓，好更能包容他人的想法，以及接納生命的一切？

201

日期：＿＿＿＿＿＿＿＿

現在交朋友時，有什麼特質是你過去不注重但現在卻在意的？

202

日期：＿＿＿＿＿＿＿＿

假如你被外星人綁架，你覺得最理想的情形會是
如何？等你回到地球上，你覺得會從中獲得什麼心
得，好讓你的人生過得更充實？

203

日期：＿＿＿＿＿＿＿＿＿

我們第一次見面時，最吸引你的是什麼呢？你對另一半的這項
特質或特徵為何如此看重？

204

日期：＿＿＿＿＿＿＿＿＿

如果可以寫一封感人的信件給一位失聯已久，但你衷心在乎的
朋友，你會寫什麼？

205 日期：＿＿＿＿＿＿

你認為自己的個性固執還是有彈性？這種個性給你帶來什麼好
處與壞處？

_____

_____

_____

_____

_____

_____

_____

_____

206 日期：＿＿＿＿＿＿

什麼活動會讓你覺得自己由內而外都散發出性感氣
息？（例如：精彩完成簡報、在網球場上大殺四方、
在泡澡時播放音樂並點上蠟燭等。）

_____

_____

_____

_____

_____

_____

_____

207
日期：＿＿＿＿＿＿＿＿

如果我們坐著、沉默對看，你覺得如何？我們可以現在試試看，並誠實地分享自己的感受嗎？

208
日期：＿＿＿＿＿＿＿＿

我能透過什麼正面行為，讓你覺得我們的外出晚餐約會更浪漫？（請提出可行的例子，像是：「牽我的手」還有「別那麼冷淡」。）

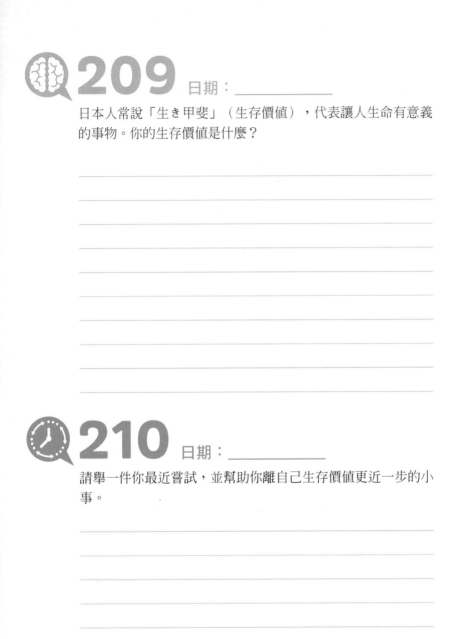

209

日期：＿＿＿＿＿＿＿

日本人常說「生き甲斐」（生存價值），代表讓人生命有意義
的事物。你的生存價值是什麼？

_____

_____

_____

_____

_____

_____

_____

_____

210

日期：＿＿＿＿＿＿＿

請舉一件你最近嘗試，並幫助你離自己生存價值更近一步的小
事。

_____

_____

_____

_____

_____

_____

_____

_____

211

日期：＿＿＿＿＿＿＿＿

如果我們要一起辦一場毫無底線與預算限制的
派對，你想怎麼規劃？

＿＿＿＿＿＿＿＿＿＿＿＿＿＿＿＿＿＿＿＿＿＿＿＿
＿＿＿＿＿＿＿＿＿＿＿＿＿＿＿＿＿＿＿＿＿＿＿＿
＿＿＿＿＿＿＿＿＿＿＿＿＿＿＿＿＿＿＿＿＿＿＿＿
＿＿＿＿＿＿＿＿＿＿＿＿＿＿＿＿＿＿＿＿＿＿＿＿
＿＿＿＿＿＿＿＿＿＿＿＿＿＿＿＿＿＿＿＿＿＿＿＿
＿＿＿＿＿＿＿＿＿＿＿＿＿＿＿＿＿＿＿＿＿＿＿＿
＿＿＿＿＿＿＿＿＿＿＿＿＿＿＿＿＿＿＿＿＿＿＿＿

212

日期：＿＿＿＿＿＿＿＿

你最喜歡的季節？為什麼？

＿＿＿＿＿＿＿＿＿＿＿＿＿＿＿＿＿＿＿＿＿＿＿＿
＿＿＿＿＿＿＿＿＿＿＿＿＿＿＿＿＿＿＿＿＿＿＿＿
＿＿＿＿＿＿＿＿＿＿＿＿＿＿＿＿＿＿＿＿＿＿＿＿
＿＿＿＿＿＿＿＿＿＿＿＿＿＿＿＿＿＿＿＿＿＿＿＿
＿＿＿＿＿＿＿＿＿＿＿＿＿＿＿＿＿＿＿＿＿＿＿＿
＿＿＿＿＿＿＿＿＿＿＿＿＿＿＿＿＿＿＿＿＿＿＿＿
＿＿＿＿＿＿＿＿＿＿＿＿＿＿＿＿＿＿＿＿＿＿＿＿

213 日期：＿＿＿＿＿＿

你最喜歡聽到我怎麼向旁人誇讚你？

___

___

___

___

___

___

___

___

___

___

214 日期：＿＿＿＿＿＿

舉一件你無意間看到或經歷到，現在想起來還是會忍俊不禁的
趣事。

___

___

___

___

___

___

___

___

215

有沒有什麼你深埋心中、不可告人的祕密，是你願意嘗試跟我分享看看的？

216

你非常確信我們都擁有的未來願景？

 **217** 日期：＿＿＿＿＿＿

如果我們一起變老，你覺得我們住在什麼地方會擁有最佳生活品質？我們會做什麼呢？

＿＿＿＿＿＿＿＿＿＿＿＿＿＿＿＿＿＿＿＿＿＿＿＿＿＿＿＿

＿＿＿＿＿＿＿＿＿＿＿＿＿＿＿＿＿＿＿＿＿＿＿＿＿＿＿＿

＿＿＿＿＿＿＿＿＿＿＿＿＿＿＿＿＿＿＿＿＿＿＿＿＿＿＿＿

＿＿＿＿＿＿＿＿＿＿＿＿＿＿＿＿＿＿＿＿＿＿＿＿＿＿＿＿

＿＿＿＿＿＿＿＿＿＿＿＿＿＿＿＿＿＿＿＿＿＿＿＿＿＿＿＿

＿＿＿＿＿＿＿＿＿＿＿＿＿＿＿＿＿＿＿＿＿＿＿＿＿＿＿＿

＿＿＿＿＿＿＿＿＿＿＿＿＿＿＿＿＿＿＿＿＿＿＿＿＿＿＿＿

＿＿＿＿＿＿＿＿＿＿＿＿＿＿＿＿＿＿＿＿＿＿＿＿＿＿＿＿

 218 日期：＿＿＿＿＿＿

分享你今天或這一週曾刻意去做什麼舉手之勞的善舉，這讓你感覺如何？

＿＿＿＿＿＿＿＿＿＿＿＿＿＿＿＿＿＿＿＿＿＿＿＿＿＿＿＿

＿＿＿＿＿＿＿＿＿＿＿＿＿＿＿＿＿＿＿＿＿＿＿＿＿＿＿＿

＿＿＿＿＿＿＿＿＿＿＿＿＿＿＿＿＿＿＿＿＿＿＿＿＿＿＿＿

＿＿＿＿＿＿＿＿＿＿＿＿＿＿＿＿＿＿＿＿＿＿＿＿＿＿＿＿

＿＿＿＿＿＿＿＿＿＿＿＿＿＿＿＿＿＿＿＿＿＿＿＿＿＿＿＿

＿＿＿＿＿＿＿＿＿＿＿＿＿＿＿＿＿＿＿＿＿＿＿＿＿＿＿＿

219

在你對於某種狀況倍感壓力時，我自作主張給你建議有何好處與壞處？

220

在任何情況下你都不想居住的地方？為什麼？

221 日期：＿＿＿＿＿＿

你最欣賞我知心好友哪一點？為什麼？

_____

_____

_____

_____

_____

_____

_____

_____

222 日期：＿＿＿＿＿＿

舉一件我們可以每天多做一點，使彼此情感加溫的小事。

_____

_____

_____

_____

_____

_____

_____

_____

223

日期：＿＿＿＿＿＿

對於和我共用浴室（或是要與我共用浴室的這個念頭），你有何喜愛與討厭之處？

224

日期：＿＿＿＿＿＿

下列大冒險哪一個對你來說最困難？為什麼？①只用表情符號寫一封情書；②只用悶哼聲和表情與我溝通三十分鐘；或者③把我們的鞋帶綁在一起，在住家附近繞一圈。

225

日期：＿＿＿＿＿＿＿＿

在你最討厭的季節裡，我們可以做點什麼來讓你更喜歡這個季節？

226

日期：＿＿＿＿＿＿＿＿

某些宗教，例如印度教和佛教，有因果報應和輪迴的概念，意思是早在我們出生前，我們的靈魂就選擇了自己的照顧者，好讓我們學到今生需學的功課。就你的經驗來看，你對這種說法有什麼意見？若這種概念為真，你有什麼感覺？

 **227** 日期：＿＿＿＿＿＿

最近讓你夜裡輾轉反側的一件事？

_____

_____

_____

_____

_____

_____

_____

_____

_____

 228 日期：＿＿＿＿＿＿

舉一個你希望我們去野餐的地點，以及我們
可以準備什麼來增加樂趣？

_____

_____

_____

_____

_____

_____

_____

229

日期：＿＿＿＿＿＿＿＿

說明你最常用來避免感受情緒創傷的心理防禦機制（例如：貶抑、合理化、壓抑、投射等。）

_____

_____

_____

_____

_____

_____

_____

_____

230

日期：＿＿＿＿＿＿＿＿

如果車子荒郊野外的晚上故障，我們的手機也都沒電了，我們可以做什麼新奇有趣的事情，來打發這個夜晚？（睡覺除外）

_____

_____

_____

_____

_____

_____

_____

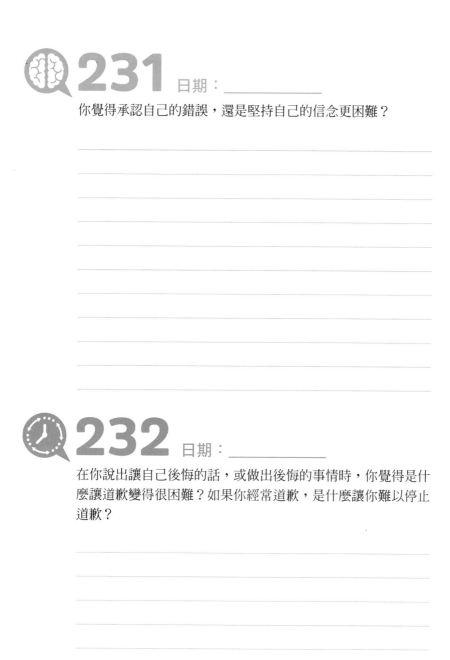

231
日期：＿＿＿＿＿＿

你覺得承認自己的錯誤，還是堅持自己的信念更困難？

232
日期：＿＿＿＿＿＿

在你說出讓自己後悔的話，或做出後悔的事情時，你覺得是什麼讓道歉變得很困難？如果你經常道歉，是什麼讓你難以停止道歉？

233

日期：＿＿＿＿＿＿＿

若我們對某事意見不同（像是音樂品味、度假地點選擇、對另一個人的看法），你能夠接受我們有兩種不同的觀點嗎？還是你認為我們需要找到（或協調）彼此看法的交集，才能繼續維持親近的關係？

_____

_____

_____

_____

_____

_____

_____

_____

234

日期：＿＿＿＿＿＿＿

你最喜歡我用何種動作或是肢體語言表達愛意？（例如：牽手、摸頭髮、擁抱、搔背、按摩。）

_____

_____

_____

_____

_____

_____

_____

_____

_____

235 日期：＿＿＿＿＿＿

你覺得我們一起讀什麼書會最有收穫？

236 日期：＿＿＿＿＿＿

如果你可以成立一個國定假日，紀念對你而言非常重要的某件事物、某個理念或活動，你會紀念什麼？你為什麼重視這件事？你如何表達自己的重視？

237

日期：＿＿＿＿＿＿＿

由我來主導某些小事，像是開車載你去某地、
決定我們要添購什麼家具、看什麼電影、上什
麼餐廳等，對你而言簡單還困難？爲什麼？

238

日期：＿＿＿＿＿＿＿

一起做一些蠢事，譬如在浴室裡朝彼此的身體噴刮鬍泡，或在
非萬聖節時穿上萬聖節服飾，對你來說是享受或是折磨？

239

你認爲請求原諒比較好，還是請求批准比較好？怎麼說？

240

你認爲一起看哪部電影可以幫助我更瞭解你重視的事物？看這部電影時我應該注意什麼重點？

241

日期：＿＿＿＿＿＿＿＿＿＿

在你童年或青少年時期，具有權威、幫助你在遊樂場與學校走廊上不受欺負的人是誰？如果你生命中沒有這樣的人，你怎麼幫助自己度過遭到忽視、霸凌、排擠的艱難社交處境？

242

日期：＿＿＿＿＿＿＿＿＿＿

你認為什麼事物可以讓我們相處時從溫馨時刻，轉變成「性致高昂」？

243

日期：＿＿＿＿＿＿

你會如何形容你內心裡長期以來跟自己對話的方式：是友善的、中立，還是批判式的？這對我們之間的感情有什麼樣的影響呢？

244

日期：＿＿＿＿＿＿

在不考慮時間、金錢以及要付出多少努力的情況下，你希望我端出什麼早餐到床邊喚醒你？

245

日期：＿＿＿＿＿＿＿＿＿

你希望驚喜派對包含什麼元素？

_____

_____

_____

_____

_____

_____

_____

_____

_____

246

日期：＿＿＿＿＿＿＿＿＿

你希望父母在年幼時鼓勵你培養什麼能力或技能？為什麼？

_____

_____

_____

_____

_____

_____

_____

_____

_____

247

日期：＿＿＿＿＿＿

年幼時父母鼓勵你培養的能力或技能中，哪一項
你當時相當抗拒，現在卻後悔沒能學會？

248

日期：＿＿＿＿＿＿

是否有任何讓你感到尷尬或丟臉的經驗，影響了你（向我或向
別人）表達自己內心感受的能力，使你未能開口提出自己的需
求，請舉個實際例子。

249

日期：＿＿＿＿＿＿＿

你覺得自己有什麼生理症狀（例如偏頭痛、消化不良、背部疼痛等），可能是由心理因素造成，或與過往的情緒事件有關？

250

日期：＿＿＿＿＿＿＿

你配戴的首飾（或曾配戴過的首飾）中，哪一件反映了你某個重要特質？為什麼？

251 日期：＿＿＿＿＿＿

你喜歡哪種表現愛意的誇張手段？為什麼？

252 日期：＿＿＿＿＿＿

如果要用鍋碗瓢盆、玻璃杯、湯匙等器具錄製一首屬於我們的「廚房之歌」，你會喜歡或者害怕在社群媒體或其他地方分享這首歌嗎？就算沒有要分享，可以錄一首屬於我們的「廚房之歌」嗎？

253 日期：＿＿＿＿＿＿＿

整體來說，你希望我怎麼看待你呢？

_____

_____

_____

_____

_____

_____

_____

_____

_____

254 日期：＿＿＿＿＿＿＿

如果我們一起上健身房（或是我們已經這麼做了），你最喜歡
和我一起從事什麼運動？

_____

_____

_____

_____

_____

_____

_____

_____

_____

255

日期：＿＿＿＿＿＿＿＿

說說你生命中做過最愚蠢的事。

256

日期：＿＿＿＿＿＿＿＿

你曾做過什麼本來覺得自己會痛恨，試過之
後卻很喜歡的活動？

257

日期：＿＿＿＿＿＿

我們搭乘的熱氣球開始洩氣，有可能會墜毀（希望不要），這時你會告訴我什麼你從未跟我分享過，關於你或是我們關係的事？

_____

_____

_____

_____

_____

_____

_____

_____

258

日期：＿＿＿＿＿＿

我有什麼樣特有的、細微的「快樂跡象」，或我敞開心胸又放鬆時，會流露出什麼樣幾乎察覺不到的小動作呢？

_____

_____

_____

_____

_____

_____

_____

_____

259

日期：＿＿＿＿＿＿＿

如果你可以把一件目前非法的事情合法化，你會選擇什麼？為
什麼？

260

日期：＿＿＿＿＿＿＿

請舉一件你青少年時期曾從事、現在希望改變的自毀行為。想
像你改變了這段過去，這讓你有什麼感受？

261

日期：＿＿＿＿＿＿＿

如果你是畫家，而我是你的模特兒，你會用什麼材料，好忠實捕捉我獨特的魅力？

_____

_____

_____

_____

_____

_____

_____

_____

262

日期：＿＿＿＿＿＿＿

請舉一個在你私人生活或職場上，害怕與某個重要人物展開困難、情緒化對話的經歷。為什麼你感到害怕？

_____

_____

_____

_____

_____

_____

_____

_____

263

承262題，你可以稍微扮演一下這場對話的雙方，展現進行這場對話的最好方式嗎？

264

如果我們始終快樂地在一起，從未有過衝突，且幾乎對任何事情都有共識，對生活也有同樣的看法，這會有壞處嗎？如果這就是我們現在的狀況，你覺得對於現況如此滿足、彼此又如此契合，有什麼好處與壞處？

265 日期：＿＿＿＿＿＿

你生命中仍無法原諒的人是誰？他們如何傷害你？

_____

_____

_____

_____

_____

_____

_____

_____

_____

266 日期：＿＿＿＿＿＿

假裝打開你的「批評心聲廣播電台」，表演一下這個電台的主持人怎麼說話。

_____

_____

_____

_____

_____

_____

_____

267 日期：＿＿＿＿＿＿

舉一件能讓你面對我們的關係時，不那麼易怒的簡單小事（例如：睡足八小時、少喝點酒、不吃精緻澱粉和白糖加工食品、戒掉尼古丁及／或咖啡因、多喝水、運動）。為什麼我們現在做不到這件事？

_____

_____

_____

_____

_____

_____

_____

_____

268 日期：＿＿＿＿＿＿

你認為對我們最重要的回憶？

_____

_____

_____

_____

_____

_____

_____

_____

_____

269 日期：＿＿＿＿＿＿＿

如果要用圖表表現你的一生，你覺得總體趨勢如何？你又如何
看待其中的高山、低谷與平靜的時刻？

---

270 日期：＿＿＿＿＿＿＿

你覺得我有幽默感嗎？我們讓對方大笑時，帶給你什麼感受？

271

日期：＿＿＿＿＿＿＿＿

舉出我固定為你而做，但旁人不一定知道的三件事。

272

日期：＿＿＿＿＿＿＿＿

你覺得祕密與隱私之間有差別嗎？若有，差別在哪裡？

273 日期：＿＿＿＿＿＿

你不大敢問我家務、財務、社會或是哪方面決策的
意見？我能做什麼來讓你不那麼緊張？

_____

_____

_____

_____

_____

_____

_____

_____

_____

274 日期：＿＿＿＿＿＿

我沮喪時的肢體語言如何表現？你察覺到我很沮喪時，身體又
會如何反應？

_____

_____

_____

_____

_____

_____

_____

_____

_____

275

日期：＿＿＿＿＿＿＿

如果我連續一星期每天寫情書（或電子郵件）給你，你會覺得
很開心還是不自在？

276

日期：＿＿＿＿＿＿＿

如果我們要一起製作一部愚蠢的家庭影片，你第一個想到的點
子是什麼？

277

日期：＿＿＿＿＿＿＿

你認為我們個人以及我們彼此最大的希望是什麼？

＿＿＿＿＿＿＿＿＿＿＿＿＿＿＿＿＿＿＿＿＿＿＿＿＿

＿＿＿＿＿＿＿＿＿＿＿＿＿＿＿＿＿＿＿＿＿＿＿＿＿

＿＿＿＿＿＿＿＿＿＿＿＿＿＿＿＿＿＿＿＿＿＿＿＿＿

＿＿＿＿＿＿＿＿＿＿＿＿＿＿＿＿＿＿＿＿＿＿＿＿＿

＿＿＿＿＿＿＿＿＿＿＿＿＿＿＿＿＿＿＿＿＿＿＿＿＿

＿＿＿＿＿＿＿＿＿＿＿＿＿＿＿＿＿＿＿＿＿＿＿＿＿

＿＿＿＿＿＿＿＿＿＿＿＿＿＿＿＿＿＿＿＿＿＿＿＿＿

＿＿＿＿＿＿＿＿＿＿＿＿＿＿＿＿＿＿＿＿＿＿＿＿＿

278

日期：＿＿＿＿＿＿＿

鉅細靡遺地描述我最近最喜歡吃的一道料理，或是猜猜看我最喜歡什麼？

＿＿＿＿＿＿＿＿＿＿＿＿＿＿＿＿＿＿＿＿＿＿＿＿＿

＿＿＿＿＿＿＿＿＿＿＿＿＿＿＿＿＿＿＿＿＿＿＿＿＿

＿＿＿＿＿＿＿＿＿＿＿＿＿＿＿＿＿＿＿＿＿＿＿＿＿

＿＿＿＿＿＿＿＿＿＿＿＿＿＿＿＿＿＿＿＿＿＿＿＿＿

＿＿＿＿＿＿＿＿＿＿＿＿＿＿＿＿＿＿＿＿＿＿＿＿＿

＿＿＿＿＿＿＿＿＿＿＿＿＿＿＿＿＿＿＿＿＿＿＿＿＿

＿＿＿＿＿＿＿＿＿＿＿＿＿＿＿＿＿＿＿＿＿＿＿＿＿

279

日期：＿＿＿＿＿＿

如果我們可以居住在世界上第一座漂浮城市中，你覺得住在那裡的優缺點為何？

280

日期：＿＿＿＿＿＿

如果我們永遠只能聞到一種味道，你希望自己能聞到什麼？為什麼你不會厭倦這個味道？

281

日期：＿＿＿＿＿＿＿

你小時候最常待的房間長什麼樣子？在描述這間
房間時，你有何感受？或有什麼思緒或回憶？

_____

_____

_____

_____

_____

_____

_____

_____

282

日期：＿＿＿＿＿＿＿

你覺得我最喜歡看你穿什麼樣的服裝？

_____

_____

_____

_____

_____

_____

_____

_____

283

日期：＿＿＿＿＿＿

你一生中做過最明智的決策？

284

日期：＿＿＿＿＿＿

幫自己取一個暱稱。為什麼你會這樣取？

285

日期：＿＿＿＿＿＿

你希望我學會用什麼新的方式表達自己（言語或者透過音樂、寫作、動作或觸摸），讓你感到驚喜或快樂？

_____

_____

_____

_____

_____

_____

_____

_____

_____

286

日期：＿＿＿＿＿＿

分享你遇過最恐怖、遠離文明的戶外經歷，你覺得這件事如何改變你對大自然的看法？

_____

_____

_____

_____

_____

_____

_____

_____

287

你希望自己是被低估為平庸之輩，但其實是創意十足的天才；
還是希望自己雖然平庸，卻被視為創意天才？為什麼？

288

想像慢慢地與我接吻，你全身上下各部位有什麼感受？你願意
現在吻我一分鐘試試看，幫助我們找出正確答案嗎？

289

日期：＿＿＿＿＿＿＿＿

你覺得我缺乏用什麼方式向你表達愛意，且渴望我更常這麼做？誰曾在（或沒能在）童年時這樣對你？

_____

_____

_____

_____

_____

_____

_____

_____

_____

290

日期：＿＿＿＿＿＿＿＿

如果要我們扮演支配／服從的角色一小時，你覺得自己扮演什麼角色最自在／不自在？爲什麼？

_____

_____

_____

_____

_____

_____

_____

_____

_____

291

日期：＿＿＿＿＿＿

你喜歡我們穿著衣服、衣衫不整還是全裸著親熱？為什麼？

292

日期：＿＿＿＿＿＿

想到自己的第一台車（或腳踏車）時，會勾起什麼回憶？

 **293** 日期：_____

你注意到我什麼古怪的表情？你覺得我這個表情
是什麼意思？

_____

_____

_____

_____

_____

_____

_____

_____

294 日期：_____

你希望療癒我內心的什麼創傷？為什麼？

_____

_____

_____

_____

_____

_____

_____

_____

_____

295 日期：＿＿＿＿＿＿＿

在我們分別一天之後，你最喜歡我們如何表達重逢的喜悅？像是：擁抱六秒鐘、說「真高興見到你」，還是做其他動作、說別的話？

296 日期：＿＿＿＿＿＿＿

誠實分享與我有關，而你不好意思告訴我的性幻想。

297 日期：_____

工作上最讓你覺得困難的是什麼事？為什麼？

_____

_____

_____

_____

_____

_____

_____

_____

_____

_____

298 日期：_____

如果要能夠滿足你對接納、快樂喜悅、心有靈犀，和有趣好玩
的最深層渴望，我們倆共度的理想一天，需要包含哪些元素
呢？

_____

_____

_____

_____

_____

_____

_____

_____

299

日期：_____

生而爲人，讓你最難過的一件事是什麼？你覺得這難過的感覺，有沒有可能也讓你對別人敞開心胸呢？

300

日期：_____

想一種淘氣的親熱、愛撫彼此的方式。

301

日期：_____

你對於「好玩」的定義，多年來有何變化？

_____

_____

_____

_____

_____

_____

_____

_____

_____

302

日期：_____

說明我們第一次真正建立深刻情感連結的浪漫地點。

_____

_____

_____

_____

_____

_____

_____

_____

303 日期：＿＿＿＿＿＿

你第一次與我的家人見面時有何感覺？

---

304 日期：＿＿＿＿＿＿

你從自己過往的失敗或成就中學到最重要的功課是什麼？

305 日期：＿＿＿＿＿＿

撞見我的其中一位前任，或前任留下來的紀念品，
對你來說最難消化或最訝異的是什麼事？

_____

_____

_____

_____

_____

_____

_____

_____

_____

306 日期：＿＿＿＿＿＿

詳細說明你對於我們第一次做愛經驗（或者帶有情慾的親密互
動）的記憶。

_____

_____

_____

_____

_____

_____

_____

_____

_____

_____

307

日期：＿＿＿＿＿＿＿

你何時第一次覺得我是個有潛力長期發展下去的伴侶？

308

日期：＿＿＿＿＿＿＿

如果你可以發明一項新產品專利，這件產品主要有娛樂價值還是實用目的？

309

日期：＿＿＿＿＿＿＿

對你來說我最迷人或最不尋常的特質？

310

日期：＿＿＿＿＿＿＿

我們第一次約會或見面時，我穿了什麼迷人的服飾？或者你對我當時的穿著有何看法？

🌟311 日期：＿＿＿＿＿＿

你希望成為赫赫有名還是沒沒無聞的富豪？為什麼？

_____

_____

_____

_____

_____

_____

_____

_____

_____

🕐312 日期：＿＿＿＿＿＿

當你直接了當向我提自己的需要或渴望，卻不保證我有所回應時，有什麼感受？

_____

_____

_____

_____

_____

_____

_____

_____

313

日期：＿＿＿＿＿＿

你希望體驗什麼不尋常的職業一天？（例如：賞金獵人、專業婚顧、駭客、滑水道測試員。）你覺得自己可以從該經驗中學到什麼？

＿＿＿＿＿＿＿＿＿＿＿＿＿＿＿＿＿＿＿＿
＿＿＿＿＿＿＿＿＿＿＿＿＿＿＿＿＿＿＿＿
＿＿＿＿＿＿＿＿＿＿＿＿＿＿＿＿＿＿＿＿
＿＿＿＿＿＿＿＿＿＿＿＿＿＿＿＿＿＿＿＿
＿＿＿＿＿＿＿＿＿＿＿＿＿＿＿＿＿＿＿＿
＿＿＿＿＿＿＿＿＿＿＿＿＿＿＿＿＿＿＿＿
＿＿＿＿＿＿＿＿＿＿＿＿＿＿＿＿＿＿＿＿
＿＿＿＿＿＿＿＿＿＿＿＿＿＿＿＿＿＿＿＿

314

日期：＿＿＿＿＿＿

如果你可以打扮成另一個性別的某位電影人物，你會打扮成誰？為什麼？

＿＿＿＿＿＿＿＿＿＿＿＿＿＿＿＿＿＿＿＿
＿＿＿＿＿＿＿＿＿＿＿＿＿＿＿＿＿＿＿＿
＿＿＿＿＿＿＿＿＿＿＿＿＿＿＿＿＿＿＿＿
＿＿＿＿＿＿＿＿＿＿＿＿＿＿＿＿＿＿＿＿
＿＿＿＿＿＿＿＿＿＿＿＿＿＿＿＿＿＿＿＿
＿＿＿＿＿＿＿＿＿＿＿＿＿＿＿＿＿＿＿＿
＿＿＿＿＿＿＿＿＿＿＿＿＿＿＿＿＿＿＿＿
＿＿＿＿＿＿＿＿＿＿＿＿＿＿＿＿＿＿＿＿

315

日期：＿＿＿＿＿＿

在你缺乏信心時，若要從親密朋友圈中找一個人爲你加油打氣，你會找誰？爲什麼？

316

日期：＿＿＿＿＿＿

你覺得我在自己充滿熱情的事情上與誰合作最融洽？爲什麼？

317

日期：＿＿＿＿＿＿

說明你做過最錯誤的財務決定，以及錯誤背後帶來的潛在益處。

_____

_____

_____

_____

_____

_____

_____

_____

_____

318

日期：＿＿＿＿＿＿

你是否曾丟掉過某件你在乎的人送給你的東西，而現在希望自己當時能把它留下來？若有，你為什麼後悔了？若沒有，你認為有什麼你留下的東西其實可以丟掉？

_____

_____

_____

_____

_____

_____

_____

_____

319 日期：＿＿＿＿＿＿＿＿＿

你覺得枯燥無味、浪費時間、無趣且未來讓機器人代替也無所謂的無聊工作？不再從事這些無聊工作可能有什麼壞處？

320 日期：＿＿＿＿＿＿＿＿＿

你希望和我一起做什麼你會和朋友一起做的事？

321

日期：＿＿＿＿＿＿＿＿

你覺得要你跟我一起度過三天不能使用科技的休閒假期，最困難的會是什麼？

_____

_____

_____

_____

_____

_____

_____

_____

_____

322

日期：＿＿＿＿＿＿＿＿

想像十年後的自己，你覺得自己會有什麼變化？又有什麼不會改變？

_____

_____

_____

_____

_____

_____

_____

_____

_____

323

日期：＿＿＿＿＿＿

說明自己遇過最緊急的狀況，以及你如何處理。

324

日期：＿＿＿＿＿＿

如果要你吃一個你很抗拒的食物，你會想像什麼畫面，或透過什麼冥想練習來幫助自己撐過去？你絕對不吃的食物是什麼？可以表演一下，假裝你吃這樣東西的反應給我看嗎？

325

日期：＿＿＿＿＿＿

你做過最叛逆的事？

＿＿＿＿＿＿＿＿＿＿＿＿＿＿＿＿＿＿＿＿＿＿＿＿＿＿＿

＿＿＿＿＿＿＿＿＿＿＿＿＿＿＿＿＿＿＿＿＿＿＿＿＿＿＿

＿＿＿＿＿＿＿＿＿＿＿＿＿＿＿＿＿＿＿＿＿＿＿＿＿＿＿

＿＿＿＿＿＿＿＿＿＿＿＿＿＿＿＿＿＿＿＿＿＿＿＿＿＿＿

＿＿＿＿＿＿＿＿＿＿＿＿＿＿＿＿＿＿＿＿＿＿＿＿＿＿＿

＿＿＿＿＿＿＿＿＿＿＿＿＿＿＿＿＿＿＿＿＿＿＿＿＿＿＿

＿＿＿＿＿＿＿＿＿＿＿＿＿＿＿＿＿＿＿＿＿＿＿＿＿＿＿

＿＿＿＿＿＿＿＿＿＿＿＿＿＿＿＿＿＿＿＿＿＿＿＿＿＿＿

＿＿＿＿＿＿＿＿＿＿＿＿＿＿＿＿＿＿＿＿＿＿＿＿＿＿＿

326

日期：＿＿＿＿＿＿

假如能夠進行心電感應，在什麼樣的情況下，（在雙方同意下）感知彼此的思緒能為我們的感情帶來好處呢？

＿＿＿＿＿＿＿＿＿＿＿＿＿＿＿＿＿＿＿＿＿＿＿＿＿＿＿

＿＿＿＿＿＿＿＿＿＿＿＿＿＿＿＿＿＿＿＿＿＿＿＿＿＿＿

＿＿＿＿＿＿＿＿＿＿＿＿＿＿＿＿＿＿＿＿＿＿＿＿＿＿＿

＿＿＿＿＿＿＿＿＿＿＿＿＿＿＿＿＿＿＿＿＿＿＿＿＿＿＿

＿＿＿＿＿＿＿＿＿＿＿＿＿＿＿＿＿＿＿＿＿＿＿＿＿＿＿

＿＿＿＿＿＿＿＿＿＿＿＿＿＿＿＿＿＿＿＿＿＿＿＿＿＿＿

＿＿＿＿＿＿＿＿＿＿＿＿＿＿＿＿＿＿＿＿＿＿＿＿＿＿＿

＿＿＿＿＿＿＿＿＿＿＿＿＿＿＿＿＿＿＿＿＿＿＿＿＿＿＿

327

日期：＿＿＿＿＿＿＿

你目前最喜歡與最討厭的親戚是誰？為什麼？

_____

_____

_____

_____

_____

_____

_____

_____

_____

328

日期：＿＿＿＿＿＿＿

對你影響最深刻，「成為眾人焦點」的經驗？

_____

_____

_____

_____

_____

_____

_____

_____

_____

329

日期：＿＿＿＿＿＿＿＿＿

你覺得自己是否有時會為了保護自己，而避免愛得太深，或放太多感情？若有，你為什麼這麼做？你怎麼做？

＿＿＿＿＿＿＿＿＿＿＿＿＿＿＿＿＿＿＿＿＿＿＿＿＿

＿＿＿＿＿＿＿＿＿＿＿＿＿＿＿＿＿＿＿＿＿＿＿＿＿

＿＿＿＿＿＿＿＿＿＿＿＿＿＿＿＿＿＿＿＿＿＿＿＿＿

＿＿＿＿＿＿＿＿＿＿＿＿＿＿＿＿＿＿＿＿＿＿＿＿＿

＿＿＿＿＿＿＿＿＿＿＿＿＿＿＿＿＿＿＿＿＿＿＿＿＿

＿＿＿＿＿＿＿＿＿＿＿＿＿＿＿＿＿＿＿＿＿＿＿＿＿

＿＿＿＿＿＿＿＿＿＿＿＿＿＿＿＿＿＿＿＿＿＿＿＿＿

330

日期：＿＿＿＿＿＿＿＿＿

如果我們可以一起學一種雙人舞，你想學什麼？你認為學這種舞蹈會帶給我們什麼挑戰，以及／或如何讓我們更親密？

＿＿＿＿＿＿＿＿＿＿＿＿＿＿＿＿＿＿＿＿＿＿＿＿＿

＿＿＿＿＿＿＿＿＿＿＿＿＿＿＿＿＿＿＿＿＿＿＿＿＿

＿＿＿＿＿＿＿＿＿＿＿＿＿＿＿＿＿＿＿＿＿＿＿＿＿

＿＿＿＿＿＿＿＿＿＿＿＿＿＿＿＿＿＿＿＿＿＿＿＿＿

＿＿＿＿＿＿＿＿＿＿＿＿＿＿＿＿＿＿＿＿＿＿＿＿＿

＿＿＿＿＿＿＿＿＿＿＿＿＿＿＿＿＿＿＿＿＿＿＿＿＿

＿＿＿＿＿＿＿＿＿＿＿＿＿＿＿＿＿＿＿＿＿＿＿＿＿

331

日期：＿＿＿＿＿＿＿＿

如果可以治療癌細胞的醫療用奈米機器人問世時我們還活著，
且可因此活到一百五十歲，你覺得我們對於「許諾終身」的觀
點該如何改變？

332

日期：＿＿＿＿＿＿＿＿

你最能感同身受的神話或傳奇英雄是誰？為什麼？

333

請分享一個你在做正確的事與便宜行事間進退維谷的經驗。你如何解決這個難題？

_____

_____

_____

_____

_____

_____

_____

_____

334

如果你有一千萬可以投資在任何你相信未來十年會大鳴大放的公司上，你覺得這家公司會推出什麼產品或服務？

_____

_____

_____

_____

_____

_____

_____

_____

335

日期：＿＿＿＿＿＿＿＿

如果你看到有人邊開車邊傳簡訊，腦海中會閃過什麼念頭？你覺得他們為什麼可以合理化自己這樣的行為？你過去曾合理化過自己哪些危險行為？

_____

_____

_____

_____

_____

_____

_____

_____

_____

336

日期：＿＿＿＿＿＿＿＿

你是否曾經二十四小時都全裸？你覺得這件事好玩嗎？為什麼不好玩？若你未嘗試過，可以假設一下，思考看看自己的感覺如何。

_____

_____

_____

_____

_____

_____

_____

_____

337 日期：＿＿＿＿＿＿＿

我們之間最棒的情慾高潮經驗？

_____

_____

_____

_____

_____

_____

_____

_____

338 日期：＿＿＿＿＿＿＿

你覺得與對你來說很重要，但很難相處的人保持聯絡是利大於弊還是弊大於利？

_____

_____

_____

_____

_____

_____

_____

_____

339

日期：＿＿＿＿＿＿

總體而言，收到預期之外的禮物，你的直覺反應是接受還是拒絕？為什麼？

340

日期：＿＿＿＿＿＿

你何時第一次驚覺自己已經是成年人了？如果你還沒感受到這件事，你覺得那會是什麼感覺？何時或是否會發生？

341 日期：＿＿＿＿＿＿＿

畫一幅畫或用文字描述你父母（或對你來說情同父母的人）的臉孔。

_____
_____
_____
_____
_____
_____
_____
_____
_____

342 日期：＿＿＿＿＿＿＿

你覺得我們／你家附近最需要什麼樣的商店？如果這樣的商店就開在距離你家走路就能到的地方，會如何改善生活品質？

_____
_____
_____
_____
_____
_____
_____
_____

343

如果你要競選，你的競選標語與主要政見是什麼？

344

我們曾一起經歷過什麼當時看起來並不好笑，但實際上非常有趣的狀況？這件事現在為什麼變得好笑了？

🔥 345

你成長過程中最喜歡的名人是誰？你最喜歡，或他們最啓發人
心的特質是什麼？

_____

_____

_____

_____

_____

_____

_____

_____

_____

🧠 346

你寧可住在小房子，並過著零負債的生活，還是
要住在大房子卻背負房貸？你的偏好如何反映了
你的價值觀？

_____

_____

_____

_____

_____

347 日期：＿＿＿＿＿＿

你年輕時喜歡在哪裡購物？為什麼？

348 日期：＿＿＿＿＿＿

你更喜歡開著露營休旅車環遊美國、在義大利鄉間別墅度假還是搭乘豪華郵輪之旅兩週？為什麼？

349 日期：＿＿＿＿＿＿

最讓你感到不舒服的節日是什麼？為什麼？

_____

_____

_____

_____

_____

_____

_____

_____

_____

350 日期：＿＿＿＿＿＿

如果你可以拍攝一部全球會有數百萬人收看的紀錄片，你會拍攝什麼主題，好在全球造成最大迴響？

_____

_____

_____

_____

_____

_____

_____

_____

351

日期：_____

你最喜歡與最討厭的交通方式？為什麼？

_____

_____

_____

_____

_____

_____

_____

_____

352

日期：_____

如果我們交換日常行程一天，你覺得我的行程中，讓你感到最放鬆、愉悅或刺激的事是什麼？讓你感到最痛苦的又是什麼呢？

_____

_____

_____

_____

_____

_____

_____

_____

353

日期：＿＿＿＿＿＿

小時候，有人會唱歌、說故事給你聽，或透過任何方式安撫你
上床睡覺嗎？若有，請分享你還記得的細節。若無，你會做什
麼來培養一夜好眠的心情嗎？

354

日期：＿＿＿＿＿＿

如果你可以改寫人生中最痛苦的歲月，你想改變什麼？如果你
已改寫了這段經歷，你覺得自己人生中最快樂的歲月將從何開
始？

355 日期：＿＿＿＿＿＿＿

如果我們要在一個化妝舞會中碰面，你覺得
我有什麼動作、表情、習慣性的肢體語言或
是特立獨行之處可以讓你認出我來？

356 日期：＿＿＿＿＿＿＿

你最仰賴什麼感官？如果要你暫時仰賴其他感官，會對於你認
識我的方式有什麼新的啟發？

357 日期：＿＿＿＿＿＿

你高中或大學時最喜歡的課？為什麼？

＿＿＿＿＿＿＿＿＿＿＿＿＿＿＿＿＿＿＿＿＿＿＿＿＿

＿＿＿＿＿＿＿＿＿＿＿＿＿＿＿＿＿＿＿＿＿＿＿＿＿

＿＿＿＿＿＿＿＿＿＿＿＿＿＿＿＿＿＿＿＿＿＿＿＿＿

＿＿＿＿＿＿＿＿＿＿＿＿＿＿＿＿＿＿＿＿＿＿＿＿＿

＿＿＿＿＿＿＿＿＿＿＿＿＿＿＿＿＿＿＿＿＿＿＿＿＿

＿＿＿＿＿＿＿＿＿＿＿＿＿＿＿＿＿＿＿＿＿＿＿＿＿

＿＿＿＿＿＿＿＿＿＿＿＿＿＿＿＿＿＿＿＿＿＿＿＿＿

＿＿＿＿＿＿＿＿＿＿＿＿＿＿＿＿＿＿＿＿＿＿＿＿＿

＿＿＿＿＿＿＿＿＿＿＿＿＿＿＿＿＿＿＿＿＿＿＿＿＿

358 日期：＿＿＿＿＿＿

你生病最嚴重的經歷？你從病痛中學到了什麼？

＿＿＿＿＿＿＿＿＿＿＿＿＿＿＿＿＿＿＿＿＿＿＿＿＿

＿＿＿＿＿＿＿＿＿＿＿＿＿＿＿＿＿＿＿＿＿＿＿＿＿

＿＿＿＿＿＿＿＿＿＿＿＿＿＿＿＿＿＿＿＿＿＿＿＿＿

＿＿＿＿＿＿＿＿＿＿＿＿＿＿＿＿＿＿＿＿＿＿＿＿＿

＿＿＿＿＿＿＿＿＿＿＿＿＿＿＿＿＿＿＿＿＿＿＿＿＿

＿＿＿＿＿＿＿＿＿＿＿＿＿＿＿＿＿＿＿＿＿＿＿＿＿

＿＿＿＿＿＿＿＿＿＿＿＿＿＿＿＿＿＿＿＿＿＿＿＿＿

＿＿＿＿＿＿＿＿＿＿＿＿＿＿＿＿＿＿＿＿＿＿＿＿＿

＿＿＿＿＿＿＿＿＿＿＿＿＿＿＿＿＿＿＿＿＿＿＿＿＿

359 日期：＿＿＿＿＿＿

我曾對你說過或做過最好的事？

_____

_____

_____

_____

_____

_____

_____

_____

_____

360 日期：＿＿＿＿＿＿

你認為哪一款車子能反映我的個性？為什麼？

_____

_____

_____

_____

_____

_____

_____

_____

361

日期：＿＿＿＿＿＿＿

在你家族的祖先中，你認為自己與誰的關係最特別？或是你希望能親眼見到誰？你為什麼覺得你們有這樣的特別連結？

362

日期：＿＿＿＿＿＿＿

試想現在是否有任何你所面對的問題，只要你願意放手接受現狀，就能「解決」？這個念頭帶給你什麼感受？

363

日期：＿＿＿＿＿＿＿＿

你覺得一段關係中，在試著討好對方，與眞誠做自己之間，如何取得平衡？

364

日期：＿＿＿＿＿＿＿＿

如果我可以爲你改名，我會改成：＿＿＿＿＿＿＿＿＿＿＿＿。
因爲：＿＿＿＿＿＿＿＿＿＿＿＿。

365 日期：＿＿＿＿＿＿

感受到「無條件的愛」的難忘經歷？

_____

_____

_____

_____

_____

_____

_____

_____

_____

_____

_____

_____

_____

_____

_____

_____

_____

_____

_____

_____

_____

_____

_____

_____

_____

_____

_____

想一想你們
過去一年來的成長

在過去365天左右的時間，你們已經一起完成這本日誌，也回答了365道問題，在這段過程中，你們不只探索了對方的過去、錯綜複雜的現在，也從彼此眼中一窺未來的樣貌。你們不只思考、聆聽、分享、瞭解、驚嘆關於彼此的眾多資訊，甚至可能冒險揭露自己通常會忽略、保密或是避免一起探索的議題。也許有時候也不小心涉足、甚至深入觸碰到更深層的情緒或心理問題。

反覆回顧你們在這本書中留下的答案，就證明了你們將彼此的關係擺在第一位。這本日誌不只記錄了你們花費一年經營的「愛的儀式」，也考驗了你們更深入認識彼此的意願。你們不只藉此獲得驚喜、更深入地交流和認識彼此，也從中享受樂趣。

在《我們的365天》的尾聲，我邀請你們問對方下列五個問題：

1. 在完成這本日誌的過程中，你對自己最重要的認識是什麼？

2. 在你對我的認識中，最難忘的是什麼？

3. 你克服了什麼難題，好和我一起完成這本日誌？

4. 回答《我們的365天》當中的問題，如何影響你看待我、自己以及我們關係的方式？

5. 過去一年來，我有哪些改變？

Creative 145

我們的365天：學會每天問一題，成為聊不停的親密關係

作者｜艾莉西亞．姆諾茲
譯者｜林宜汶
出版者｜大田出版有限公司
台北市一〇四四五中山北路二段二十六巷二號二樓
E-mail｜titan3@ms22.hinet.net　http：//www.titan3.com.tw
編輯部專線｜(02) 2562-1383　傳真：(02) 2581-8761
總編輯｜莊培園
副總編輯｜蔡鳳儀
行銷編輯｜陳映璇/黃凱玉
行政編輯｜林珈羽
校對｜金文蕙/黃薇霓
初刷｜二〇二〇年三月十二日　定價：三八〇元
四刷｜二〇二〇年十二月十五日
總經銷｜知己圖書股份有限公司
台北｜一〇六台北市大安區辛亥路一段三十號九樓
TEL：02-2367-2044 / 2367-2047　FAX：02-2363-5741
台中｜四〇七台中市西屯區工業三十路一號一樓
TEL：04-2359-5819　FAX：04-2359-5493
E-mail｜service@morningstar.com.tw
網路書店｜http://www.morningstar.com.tw
郵政劃撥｜15060393（知己圖書股份有限公司）
印刷｜上好印刷股份有限公司

填回函雙重禮
① 立即送購書優惠券
② 抽獎小禮物

本書：2、12、18、21、22、28、38、42、
43、54、55、56、79、109、113、141、142、
146、148、202、215、239、243、248、253、
258、298、299、312、326譯者爲梁若瑜

A Year of Us © 2019 Callisto Media
All right reserved.
First published in English by Zephyros Press, a Callisto
Media Inc imprint